LA PORTE ÉTROITE

ŒUVRES D'ANDRÉ GIDE

Au Mercure de France

L'IMMORALISTE
roman

PRÉTEXTES

NOUVEAUX PRÉTEXTES

FEUILLETS D'AUTOMNE

OSCAR WILDE

Parus dans le Livre de Poche :

LA SYMPHONIE PASTORALE

LES FAUX-MONNAYEURS

LES CAVES DU VATICAN

L'IMMORALISTE

ANDRÉ GIDE

La porte étroite

ROMAN

> Efforcez-vous d'entrer par la
> porte étroite.
> > Luc, XIII, 24.

MERCVRE DE FRANCE

*Ce roman a paru
pour la première fois
en 1909*

I

D'AUTRES en auraient pu faire un livre; mais l'histoire que je raconte ici, j'ai mis toute ma force à la vivre et ma vertu s'y est usée. J'écrirai donc très simplement mes souvenirs, et s'ils sont en lambeaux par endroits, je n'aurai recours à aucune invention pour les rapiécer ou les joindre; l'effort que j'apporterais à leur apprêt gênerait le dernier plaisir que j'espère trouver à les dire.

Je n'avais pas douze ans lorsque je perdis mon père. Ma mère, que plus rien ne retenait au Havre, où mon père avait été médecin, décida de venir habiter Paris, estimant que j'y finirais mieux mes études. Elle loua, près du Luxembourg, un petit appartement, que Miss Ashburton vint occuper avec nous. Miss Flora Ashburton, qui n'avait plus de famille, avait été d'abord l'institutrice de ma mère, puis sa compagne et bientôt son amie. Je vivais auprès de ces deux

femmes à l'air également doux et triste, et que
je ne puis revoir qu'en deuil. Un jour, et, je
pense, assez longtemps après la mort de mon
père, ma mère avait remplacé par un ruban
mauve le ruban noir de son bonnet du matin :
   « O maman! m'étais-je écrié, comme cette
couleur te va mal! »
   Le lendemain elle avait remis un ruban noir.

   J'étais de santé délicate. La sollicitude de ma
mère et de Miss Ashburton, tout occupée à pré-
venir ma fatigue, si elle n'a pas fait de moi un
paresseux, c'est que j'ai vraiment goût au travail. Dès les premiers beaux jours, toutes deux se
persuadent qu'il est temps pour moi de quitter
la ville, que j'y pâlis; vers la mi-juin, nous par-
tons pour Fongueusemare, aux environs du
Havre, où mon oncle Bucolin nous reçoit chaque
été.
   Dans un jardin pas très grand, pas très beau,
que rien de bien particulier ne distingue de
quantité d'autres jardins normands, la maison
des Bucolin, blanche, à deux étages, ressemble à
beaucoup de maisons de campagne du siècle
avant-dernier. Elle ouvre une vingtaine de
grandes fenêtres sur le devant du jardin, au
levant; autant par-derrière; elle n'en a pas sur
les côtés. Les fenêtres sont à petits carreaux :
quelques-uns, récemment remplacés, paraissent
trop clairs parmi les vieux qui, auprès, paraissent
verts et ternis. Certains ont des défauts que nos

parents appellent des « bouillons »; l'arbre
qu'on regarde au travers se dégingande; le fac-
teur, en passant devant, prend une bosse brusquement.

Le jardin, rectangulaire, est entouré de murs.
Il forme devant la maison une pelouse assez
large, ombragée, dont une allée de sable et de
gravier fait le tour. De ce côté, le mur s'abaisse
pour laisser voir la cour de ferme qui enveloppe
le jardin et qu'une avenue de hêtres limite à la
manière du pays.

Derrière la maison, au couchant, le jardin se
développe plus à l'aise. Une allée, riante de
fleurs, devant les espaliers au midi, est abritée
contre les vents de mer par un épais rideau de
lauriers du Portugal et par quelques arbres. Une
autre allée, le long du mur du nord, disparaît
sous les branches. Mes cousines l'appelaient
« l'allée noire », et, passé le crépuscule du soir,
ne s'y aventuraient pas volontiers. Ces deux
allées mènent au potager, qui continue en
contrebas le jardin, après qu'on a descendu quelques marches. Puis, de l'autre côté du mur que
troue, au fond du potager, une petite porte à
secret, on trouve un bois taillis où l'avenue de
hêtres, de droite et de gauche, aboutit. Du per-
ron du couchant le regard, par-dessus ce bosquet
retrouvant le plateau, admire la moisson qui le
couvre. A l'horizon, pas très distant, l'église d'un
petit village et, le soir, quand l'air est tranquille,
les fumées de quelques maisons.

Chaque beau soir d'été, après dîner, nous des-
cendions dans « le bas jardin ». Nous sortions
par la petite porte secrète et gagnions un banc
de l'avenue d'où l'on domine un peu la contrée;
là, près du toit de chaume d'une marnière abandonnée, mon oncle, ma mère et Miss Ashburton
s'asseyaient; devant nous, la petite vallée s'emplissait de brume et le ciel se dorait au-dessus du
bois plus lointain. Puis nous nous attardions
au fond du jardin déjà sombre. Nous rentrions;
nous retrouvions au salon ma tante qui ne sortait presque jamais avec nous... Pour nous,
enfants, là se terminait la soirée; mais bien souvent nous étions encore à lire dans nos chambres
quand, plus tard, nous entendions monter nos
parents.

Presque toutes les heures du jour que nous ne
passions pas au jardin, nous les passions dans
« la salle d'étude », le bureau de mon oncle où
l'on avait disposé des pupitres d'écoliers. Mon
cousin Robert et moi, nous travaillions côte à
côte; derrière nous, Juliette et Alissa. Alissa a
deux ans de plus, Juliette un an de moins que
moi; Robert est, de nous quatre, le plus jeune.

Ce ne sont pas mes premiers souvenirs que
je prétends écrire ici, mais ceux-là seuls qui se
rapportent à cette histoire. C'est vraiment l'année de la mort de mon père que je puis dire
qu'elle commence. Peut-être ma sensibilité,
surexcitée par notre deuil et, sinon par mon
propre chagrin, du moins par la vue du chagrin

de ma mère, me prédisposait-elle à de nouvelles émotions : j'étais précocement mûri; lorsque, cette année, nous revînmes à Fongueusemare, Juliette et Robert m'en parurent d'autant plus jeunes, mais, en revoyant Alissa, je compris brusquement que tous deux nous avions cessé d'être enfants.

Oui, c'est bien l'année de la mort de mon père; ce qui confirme ma mémoire, c'est une conversation de ma mère avec Miss Ashburton, sitôt après notre arrivée. J'étais inopinément entré dans la chambre où ma mère causait avec son amie; il s'agissait de ma tante; ma mère s'indignait qu'elle n'eût pas pris le deuil ou qu'elle l'eût déjà quitté. (Il m'est, à vrai dire, aussi impossible d'imaginer ma tante Bucolin en noir que ma mère en robe claire.) Ce jour de notre arrivée, autant qu'il m'en souvient, Lucile Bucolin portait une robe de mousseline Miss Ashburton, conciliante comme toujours, s'efforçait de calmer ma mère; elle arguait craintivement :

« Après tout, le blanc aussi est de deuil.

— Et vous appelez aussi « de deuil » ce châle rouge qu'elle a mis sur ses épaules? Flora, vous me révoltez! » s'écriait ma mère.

Je ne voyais ma tante que durant les mois de vacances et sans doute la chaleur de l'été motivait ces corsages légers et largement ouverts que je lui ai toujours connus; mais, plus encore que l'ardente couleur des écharpes que ma tante jetait sur ses épaules nues, ce décolletage scandalisait ma mère.

Lucile Bucolin était très belle. Un petit portrait d'elle que j'ai gardé me la montre telle qu'elle était alors, l'air si jeune qu'on l'eût prise pour la sœur aînée de ses filles, assise de côté, dans cette pose qui lui était coutumière : la tête inclinée sur la main gauche au petit doigt mièvrement replié vers la lèvre. Une résille à grosses mailles retient la masse de ses cheveux crépelés à demi croulés sur la nuque; dans l'échancrure du corsage pend, à un lâche collier de velours noir, un médaillon de mosaïque italienne. La ceinture de velours noir au large nœud flottant, le chapeau de paille souple à grands bords qu'au dossier de la chaise elle a suspendu par la bride, tout ajoute à son air enfantin. La main droite, tombante, tient un livre fermé.

Lucile Bucolin était créole; elle n'avait pas connu ou avait perdu très tôt ses parents. Ma mère me raconta, plus tard, qu'abandonnée ou orpheline elle fut recueillie par le ménage du pasteur Vautier qui n'avait pas encore d'enfants et qui, bientôt après quittant la Martinique, amena celle-ci au Havre où la famille Bucolin était fixée. Les Vautier et les Bucolin se fréquentèrent; mon oncle était alors employé dans une banque à l'étranger, et ce ne fut que trois ans plus tard, lorsqu'il revint auprès des siens, qu'il vit la petite Lucile; il s'éprit d'elle et aussitôt demanda sa main, au grand chagrin de ses parents et de ma mère. Lucile avait alors seize ans. Entre-temps, Mme Vautier avait eu deux enfants; elle commençait à redouter pour eux l'influence de cette sœur adoptive dont le caractère s'affirmait plus bizarrement de mois en mois; puis les ressource' du ménage étaient maigres... tout ceci, c'est ce que me dit ma mère pour m'expliquer que les Vautier aient accepté la demande de son frère avec joie. Ce que je suppose, au surplus, c'est que la jeune Lucile commençait à les embarrasser terriblement. Je connais assez la société du Havre pour imaginer aisément le genre d'accueil qu'on fit à cette enfant si séduisante. Le pasteur Vautier, que j'ai connu plus tard doux, circonspect et naïf à la fois, sans ressources contre l'intrigue et complètement désarmé devant le mal — l'excellent homme devait être aux abois. Quant à Mme Vautier, je n'en puis rien dire; elle mourut en couches à la naissance d'un quatrième enfant, celui qui, de mon âge à peu près, devait devenir plus tard mon ami...

Lucile Bucolin ne prenait que peu de part à notre vie; elle ne descendait de sa chambre que passé le repas de midi; elle s'allongeait aussitôt sur un sofa ou dans un hamac, demeurait étendue jusqu'au soir et ne se relevait que languissante. Elle portait parfois à son front, pourtant parfaitement mat, un mouchoir comme pour essuyer une moiteur; c'était un mouchoir dont m'émerveillaient la finesse et l'odeur qui semblait moins un parfum de fleur que de fruit; parfois elle tirait de sa ceinture un minuscule miroir à glissant couvercle d'argent, qui pendait à sa chaîne de montre avec divers objets; elle se regardait, d'un doigt touchait sa lèvre, cueillait un peu de salive et s'en mouillait le coin des yeux. Souvent elle tenait un livre, mais un livre presque toujours fermé; dans le livre, une liseuse d'écaille restait prise entre les feuillets. Lorsqu'on approchait d'elle, son regard ne se détournait pas de sa rêverie pour vous voir. Souvent, de sa main ou négligente ou fatiguée, de l'appui du sofa, d'un repli de sa jupe, le mouchoir tombait à terre, ou le livre, ou quelque fleur, ou le signet. Un jour, ramassant le livre — c'est un souvenir d'enfant que je vous dis — en voyant que c'étaient des vers, je rougis.

Le soir, après dîner, Lucile Bucolin ne s'approchait pas à notre table de famille, mais, assise au piano, jouait avec complaisance de lentes mazurkas de Chopin; parfois rompant la mesure, elle s'immobilisait sur un accord...

J'éprouvais un singulier malaise auprès de ma tante, un sentiment fait de trouble, d'une sorte d'admiration et d'effroi. Peut-être un obscur instinct me prévenait-il contre elle; puis je sentait qu'elle méprisait Flora Ashburton et ma mère, que Miss Ashburton la craignait et que ma mère ne l'aimait pas.

Lucile Bucolin, je voudrais ne plus vous en vouloir, oublier un instant que vous avez fait tant de mal... du moins j'essaierai de parler de vous sans colère.

Un jour de cet été — ou de l'été suivant, car dans ce décor toujours pareil, parfois mes souvenirs superposés se confondent — j'entre au salon chercher un livre; elle y était. J'allais me retirer aussitôt; elle qui, d'ordinaire, semble à peine me voir, m'appelle :

« Pourquoi t'en vas-tu si vite? Jérôme! est-ce que je te fais peur? »

Le cœur battant, je m'approche d'elle; je prends sur moi de lui sourire et de lui tendre la main. Elle garde ma main dans l'une des siennes et de l'autre caresse ma joue.

« Comme ta mère t'habille mal, mon pauvre petit!... »

Je portais alors une sorte de vareuse à grand col, que ma tante commence de chiffonner.

« Les cols marins se portent beaucoup plus ouverts! dit-elle en faisant sauter un bouton de chemise. — Tiens! regarde si tu n'es pas mieux ainsi! » et, sortant son petit miroir, elle attire contre le sien mon visage, passe autour de mon cou son bras nu, descend sa main dans ma chemise entrouverte, demande en riant si je suis chatouilleux, pousse plus avant... J'eus un sursaut si brusque que ma vareuse se déchira; le visage en feu, et tandis qu'elle s'écriait :

« Fi! le grand sot! » je m'enfuis; je courus jusqu'au fond du jardin; là, dans un petit citerneau du potager, je trempai mon mouchoir, l'appliquai sur mon front, lavai, frottai mes joues, mon cou, tout ce que cette femme avait touché.

Certains jours, Lucile Bucolin avait « sa crise ». Cela la prenait tout à coup et révolutionnait la maison. Miss Ashburton se hâtait d'emmener et d'occuper les enfants; mais on ne pouvait pas, pour eux, étouffer les cris affreux qui partaient de la chambre à coucher ou du salon. Mon oncle s'affolait, on l'entendait courir dans les couloirs, cherchant des serviettes, de l'eau de Cologne, de l'éther; le soir, à table, où ma tante ne paraissait pas encore, il gardait une mine anxieuse et vieillie.

Quand la crise était à peu près passée, Lucile Bucolin appelait ses enfants auprès d'elle; du moins Robert et Juliette; jamais Alissa. Ces tristes jours, Alissa s'enfermait dans sa chambre, où parfois son père venait la retrouver; car il causait souvent avec elle.

Les crises de ma tante impressionnaient beaucoup les domestiques. Un soir que la crise avait été particulièrement forte et que j'étais resté avec ma mère, consigné dans sa chambre d'où l'on percevait moins ce qui se passait au salon, nous entendîmes la cuisinière courir dans les couloirs en criant :

« Que Monsieur descende vite, la pauvre Madame est en train de mourir! »

Mon oncle était monté dans la chambre d'Alissa; ma mère sortit à sa rencontre. Un quart d'heure après, comme tous deux passaient sans y faire attention devant les fenêtres ouvertes de la chambre où j'étais resté, me parvint la voix de ma mère :

« Veux-tu que je te dise, mon ami : tout cela, c'est de la comédie. » Et plusieurs fois, séparant les syllabes : de la co-mé-die.

Ceci se passait vers la fin des vacances, et deux ans après notre deuil. Je ne devais plus revoir longtemps ma tante. Mais avant de parler du triste événement qui bouleversa notre famille, et d'une petite circonstance qui, précédant de peu le dénouement, réduisit en pure haine le sentiment complexe et indécis encore que j'éprouvais pour Lucile Bucolin, il est temps que je vous parle de ma cousine.

Qu'Alissa Bucolin fût jolie, c'est ce dont je ne savais m'apercevoir encore; j'étais requis et retenu près d'elle par un charme autre que celui de la simple beauté. Sans doute, elle ressemblait beaucoup à sa mère; mais son regard était d'expression si différente que je ne m'avisai de cette ressemblance que plus tard. Je ne puis décrire un visage; les traits m'échappent, et jusqu'à la couleur des yeux; je ne revois que l'expression presque triste déjà de son sourire et que la ligne

de ses sourcils, si extraordinairement relevés au-
dessus des yeux, écartés de l'œil en grand cercle.
Je n'ai vu les pareils nulle part... si pourtant :
dans une statuette florentine de l'époque de
Dante; et je me figure volontiers que Béatrix
enfant avait des sourcils très largement arqués
comme ceux-là. Ils donnaient au regard, à tout
l'être, une expression d'interrogation à la fois
anxieuse et confiante, — oui, d'interrogation pas-
sionnée. Tout, en elle, n'était que question et
qu'attente... Je vous dirai comment cette interrogation s'empara de moi, fit ma vie.

Juliette cependant pouvait paraître plus belle;
la joie et la santé posaient sur elle leur éclat;
mais sa beauté, près de la grâce de sa sœur,
semblait extérieure et se livrer à tous d'un seul
coup. Quant à mon cousin Robert, rien de particulier ne le caractérisait. C'était simplement un
garçon à peu près de mon âge; je jouais avec
Juliette et avec lui; avec Alissa je causais; elle
ne se mêlait guère à nos jeux; si loin que je
replonge dans le passé, je la vois sérieuse, doucement souriante et recueillie. — De quoi cau-
sions-nous? De quoi peuvent causer deux
enfants? Je vais bientôt tâcher de vous le dire,
mais je veux d'abord et pour ne plus ensuite
reparler d'elle, achever de vous raconter ce qui
a trait à ma tante.

Deux ans après la mort de mon père, nous
vînmes, ma mère et moi, passer les vacances de
Pâques au Havre. Nous n'habitions pas chez les

Bucolin qui, en ville, étaient assez étroitement
logés, mais chez une sœur aînée de ma mère,
dont la maison était plus vaste. Ma tante Plantier, que je n'avais que rarement l'occasion de
voir, était veuve depuis longtemps; à peine
connaissais-je ses enfants, beaucoup plus âgés
que moi et de nature très différente. La « maison Plantier », comme on disait au Havre, n'était
pas dans la ville même, mais à mi-hauteur de
cette colline qui domine la ville et qu'on appelle
« la Côte ». Les Bucolin habitaient près du quar-
tier des affaires; un raidillon menait assez rapidement de l'une à l'autre maison; je le dégrin-
golais et le regravissait plusieurs fois par jour.

Ce jour-là je déjeunai chez mon oncle. Peu
de temps après le repas, il sortit; je l'accompa-
gnai jusqu'à son bureau, puis remontai à la maison Plantier chercher ma mère. Là j'appris
qu'elle était sortie avec ma tante et ne rentre-
rait que pour dîner. Aussitôt je redescendis en
ville, où il était rare que je pusse librement
me promener. Je gagnai le port, qu'un brouillard de mer rendait morne; j'errai une heure ou
deux sur les quais. Brusquement le désir me
saisit d'aller surprendre Alissa que pourtant je
venais de quitter... Je traverse la ville en courant, sonne à la porte des Bucolin; déjà je
m'élançais dans l'escalier. La bonne qui m'a
ouvert m'arrête :

« Ne montez pas, monsieur Jérôme! ne montez pas : Madame a une crise. »

Mais je passe outre : « Ce n'est pas ma tante
que je viens voir... » La chambre d'Alissa est
au troisième étage. Au premier, le salon et la
salle à manger; au second, la chambre de ma
tante d'où jaillissent des voix. La porte est
ouverte, devant laquelle il faut passer; un rai de
lumière sort de la chambre et coupe le palier
de l'escalier; par crainte d'être vu, j'hésite un
instant, me dissimule, et plein de stupeur, je
vois ceci : au milieu de la chambre aux rideaux
clos, mais où les bougies de deux candélabres
répandent une clarté joyeuse, ma tante est couchée sur une chaise longue; à ses pieds, Robert
et Juliette; derrière elle, un inconnu jeune
homme en uniforme de lieutenant. — La présence de ces deux enfants m'apparaît aujour-
d'hui monstrueuse; dans mon innocence d'alors,
elle me rassura plutôt.

Ils regardent en riant l'inconnu qui répète
d'une voix flûtée :

« Bucolin! Bucolin!... Si j'avais un mouton,
sûrement je l'appellerais Bucolin. »

Ma tante elle-même rit aux éclats. Je la vois
tendre au jeune homme une cigarette qu'il
allume et dont elle tire quelques bouffées. La
cigarette tombe à terre. Lui s'élance pour la
ramasser, feint de se prendre les pieds dans une
écharpe, tombe à genoux devant ma tante... A
la faveur de ce ridicule jeu de scène, je me glisse
sans être vu.

Me voici devant la porte d'Alissa. J'attends un instant. Les rires et les éclats de voix montent de l'étage inférieur; et peut-être ont-ils couvert le bruit que j'ai fait en frappant, car je n'entends pas de réponse. Je pousse la porte, qui cède silencieusement. La chambre est déjà si sombre que je ne distingue pas aussitôt Alissa; elle est au chevet de son lit, à genoux, tournant le dos à la croisée d'où tombe un jour mourant. Elle se retourne, sans se relever pourtant, quand j'approche; elle murmure :

« Oh! Jérôme, pourquoi reviens-tu? »

Je me baisse pour l'embrasser; son visage est noyé de larmes...

Cet instant décida de ma vie; je ne puis encore aujourd'hui le remémorer sans angoisse. Sans doute je ne comprenais que bien imparfaitement la cause de la détresse d'Alissa, mais je sentais intensément que cette détresse était beaucoup trop forte pour cette petite âme palpitante, pour ce frêle corps tout secoué de sanglots.

Je restais debout près d'elle, qui restait agenouillée; je ne savais rien exprimer du transport nouveau de mon cœur; mais je pressais sa tête contre mon cœur et sur son front mes lèvres par où mon âme s'écoulait. Ivre d'amour, de pitié, d'un indistinct mélange d'enthousiasme, d'abnégation, de vertu, j'en appelais à Dieu de toutes mes forces et m'offrais, ne concevant plus

d'autre but à ma vie que d'abriter cette enfant
contre la peur, contre le mal, contre la vie.
Je m'agenouille enfin plein de prière; je la
réfugie contre moi; confusément je l'entends
dire :

« Jérôme! ils ne t'ont pas vu, n'est-ce pas? Oh!
va-t'en vite! Il ne faut pas qu'ils te voient. »

Puis plus bas encore :

« Jérôme, ne raconte à personne... mon
pauvre papa ne sait rien... »

Je ne racontai donc rien à ma mère; mais les
interminables chuchoteries que ma tante Plantier tenait avec elle, l'air mystérieux, affairé et
peiné de ces deux femmes, le : « Mon enfant,
va jouer plus loin! » avec lequel elles me repous-
saient chaque fois que je m'approchais de leurs
conciliabules, tout me montrait qu'elles n'igno-
raient pas complètement le secret de la maison
Bucolin.

Nous n'étions pas plus tôt rentrés à Paris
qu'une dépêche rappelait ma mère au Havre :
ma tante venait de s'enfuir.

« Avec quelqu'un? demandai-je à Miss Ashburton, auprès de qui ma mère me laissait.

— Mon enfant, tu demanderas cela à ta mère;
moi je ne peux rien te répondre », disait cette
chère vieille amie, que cet événement conster-
nait.

Deux jours après, nous partions, elle et moi,
rejoindre ma mère. C'était un samedi. Je devais

retrouver mes cousines le lendemain, au temple, et cela seul occupait ma pensée; car mon esprit d'enfant attachait une grande importance à cette sanctification de notre revoir. Après tout, je me souciais peu de ma tante, et mis un point d'honneur à ne pas questionner ma mère.

Dans la petite chapelle, il n'y avait, ce matin-là, pas grand monde. Le pasteur Vautier, sans doute intentionnellement, avait pris pour texte de sa méditation ces paroles du Christ : *Efforcez-vous d'entrer par la porte étroite.*

Alissa se tenait à quelques places devant moi. Je voyais de profil son visage; je la regardais fixement, avec un tel oubli de moi qu'il me semblait que j'entendais à travers elle ces mots que j'écoutais éperdument. — Mon oncle était assis à côté de ma mère et pleurait.

Le pasteur avait d'abord lu tout le verset : *Efforcez-vous d'entrer par la porte étroite, car la porte large et le chemin spacieux mènent à la perdition, et nombreux sont ceux qui y passent; mais étroite est la porte et resserrée la voie qui conduisent à la Vie, et il en est peu qui les trouvent.* Puis, précisant les divisions du sujet, il parlait d'abord du chemin spacieux... L'esprit perdu, et comme en rêve, je revoyais la chambre de ma tante; je revoyais ma tante étendue, riante; je voyais le brillant officier rire aussi... et l'idée même du rire, de la joie, se faisait blessante, outrageuse, devenait comme l'odieuse exagération du péché!...

Et nombreux sont ceux qui y passent, reprenait
le pasteur Vautier; puis il peignait et je voyais
une multitude parée, riant et s'avançant folâ-
trement, formant cortège où je sentais que je ne
pouvais, que je ne voulais pas trouver place,
parce que chaque pas que j'eusse fait avec eux
m'aurait écarté d'Alissa. — Et le pasteur ramenait le début du texte, et je voyais cette porte
étroite par laquelle il fallait s'efforcer d'entrer.
Je me la représentais, dans le rêve où je plongeais, comme une sorte de laminoir, où je m'in-
troduisais avec effort, avec une douleur extraordinaire où se mêlait pourtant un avant-goût
de la félicité du ciel. Et cette porte devenait
encore la porte même de la chambre d'Alissa;
pour entrer je me réduisais, me vidais de tout
ce qui subsistait en moi d'égoïsme... *Car étroite
est la voie qui conduit à la Vie,* continuait le
pasteur Vautier — et par-delà toute macération,
toute tristesse, j'imaginais, je pressentais une
autre joie, pure, mystique, séraphique et dont
mon âme déjà s'assoiffait. Je l'imaginais, cette
joie, comme un chant de violon à la fois strident
et tendre, comme une flamme aiguë où le cœur
d'Alissa et le mien s'épuisaient. Tous deux nous
avancions, vêtus de ces vêtements blancs dont
nous parlait l'Apocalypse, nous tenant par la
main et regardant un même but... Que m'importe si ces rêves d'enfant font sourire! je les
redis sans y changer. La confusion qui peut-
être y paraît n'est que dans les mots et dans les

imparfaites images pour rendre un sentiment
très précis.

— *Il en est peu qui la trouvent,* achevait le
pasteur Vautier. Il expliquait comment trouver
la porte étroite... *Il en est peu.* — Je serais de
ceux-là...

J'étais parvenu vers la fin du sermon à un tel
état de tension morale que, sitôt le culte fini,
je m'enfuis sans chercher à voir ma cousine —
par fierté, voulant déjà mettre mes résolutions
(car j'en avais pris) à l'épreuve, et pensant la
mieux mériter en m'éloignant d'elle aussitôt.

II

CET enseignement austère trouvait une âme préparée, naturellement disposée au devoir, et que l'exemple de mon père et de ma mère, joint à la discipline puritaine à laquelle ils avaient soumis les premiers élans de mon cœur, achevait d'incliner vers ce que j'entendais appeler : la vertu. Il m'était aussi naturel de me contraindre qu'à d'autres de s'abandonner, et cette rigueur à laquelle on m'asservissait, loin de me rebuter, me flattait. Je quêtais de l'avenir non tant le bonheur que l'effort infini pour l'atteindre, et déjà confondais bonheur et vertu. Sans doute, comme un enfant de quatorze ans, je restais encore indécis, disponible; mais bientôt mon amour pour Alissa m'enfonça délibérément dans ce sens. Ce fut une subite illumination intérieure à la faveur de laquelle je pris conscience de moi-même : je m'apparus replié, mal éclos, plein d'attente, assez peu soucieux d'autrui, médiocrement entreprenant, et ne rêvant

d'autres victoires que celles qu'on obtient sur soi-
même. J'aimais l'étude; parmi les jeux, ne
m'éprenais que pour ceux qui demandent ou
recueillement ou effort. Avec les camarades de
mon âge, je frayais peu et ne me prêtais à leurs
amusements que par affection ou complaisance.
Je me liai pourtant avec Abel Vautier, qui, l'an
suivant, vint me rejoindre à Paris, dans ma
classe. C'était un garçon gracieux, indolent, pour
qui je me sentais plus d'affection que d'estime,
mais avec qui du moins je pouvais parler du
Havre et de Fongueusemare, vers où revolait
sans cesse ma pensée.

Quant à mon cousin Robert Bucolin, qu'on
avait mis pensionnaire au même lycée que nous,
mais deux classes au-dessous, je ne le retrouvais
que les dimanches. S'il n'avait été frère de mes
cousines, auxquelles du reste il ressemblait peu,
je n'aurais pris aucun plaisir à le voir.

J'étais alors tout occupé par mon amour et
ce ne fut qu'éclairées par lui que ces deux ami-
tiés prirent pour moi quelque importance. Alissa
était pareille à cette perle de grand prix dont
m'avait parlé l'Evangile; j'étais celui qui vend
tout ce qu'il a pour l'avoir. Si enfant que je
fusse encore, ai-je tort de parler d'amour et de
nommer ainsi le sentiment que j'éprouvais pour
ma cousine? Rien de ce que je connus ensuite
ne me paraît mieux digne de ce nom, — et
d'ailleurs, lorsque je devins d'âge à souffrir des
plus précises inquiétudes de la chair, mon sen-

timent ne changea pas beaucoup de nature : je
ne cherchai pas plus directement à posséder celle
que, tout enfant, je prétendais seulement mériter. Travail, efforts, actions pies, mystiquement
j'offrais tout à Alissa, inventant un raffinement
de vertu à lui laisser souvent ignorer ce que je
n'avais fait que pour elle. Je m'enivrais ainsi
d'une sorte de modestie capiteuse et m'habituais,
hélas! consultant peu ma plaisance, à ne me
satisfaire à rien qui ne m'eût coûté quelque
effort.

Cette émulation n'éperonnait-elle que moi? Il
ne me paraît pas qu'Alissa y fût sensible et fît
rien à cause de moi, ou pour moi, qui ne m'efforçais que pour elle. Tout, dans son âme sans
apprêt, restait de la plus naturelle beauté. Sa
vertu gardait tant d'aisance et de grâce qu'elle
semblait un abandon. A cause de son sourire
enfantin, la gravité de son regard était charmante; je revois ce regard si doucement, si tendrement interrogateur se lever et comprends que
mon oncle ait, dans son désarroi, cherché près
de sa fille aînée soutien, conseil et réconfort.
Souvent, dans l'été qui suivit, je le vis causer
avec elle. Son chagrin l'avait beaucoup vieilli;
il ne parlait guère aux repas, ou parfois montrait brusquement une sorte de joie de commande, plus pénible que son silence. Il restait à
fumer dans son bureau jusqu'à l'heure du soir
où venait le retrouver Alissa; il se faisait prier
pour sortir; elle l'emmenait comme un enfant,

dans le jardin. Tous deux, descendant l'allée aux
fleurs, allaient s'asseoir dans le rond-point, près
l'escalier du potager, où nous avions porté des
chaises.

Un soir que je m'attardais à lire, étendu sur
le gazon à l'ombre d'un des grands hêtres
pourpres, séparé de l'allée aux fleurs simplement
par la haie de lauriers qui empêchait les regards,
point les voix, j'entendis Alissa et mon oncle.
Sans doute ils venaient de parler de Robert;
mon nom fut alors prononcé par Alissa, et,
comme je commençais à distinguer leurs paroles,
mon oncle s'écria :

« Oh! lui, il aimera toujours le travail. »

Ecouteur malgré moi, je voulus m'en aller,
tout au moins faire quelque mouvement qui
leur signalât ma présence; mais quoi? tousser?
crier : je suis là! je vous entends!... et ce fut
bien plutôt la gêne et la timidité, que la curiosité d'en entendre davantage, qui me tinrent coi.
Du reste ils ne faisaient que passer et je n'entendais que très imparfaitement leurs propos... Mais
ils avançaient lentement; sans doute, comme elle
avait accoutumé, Alissa, un léger panier au bras,
enlevait les fleurs fanées et ramassait au pied des
espaliers les fruits encore verts que les fréquents
brouillards de mer faisaient choir. J'entendis sa
claire voix :

« Papa, est-ce que mon oncle Palissier était un
homme remarquable? »

La voix de mon oncle était sourde et voilée;

je ne distinguai pas sa réponse. Alissa insista :

« Très remarquable, dis? »

De nouveau trop confuse réponse; puis Alissa de nouveau :

« Jérôme est intelligent, n'est-ce pas? »

Comment n'eussé-je pas tendu l'oreille?... Mais non, je ne pus rien distinguer. Elle reprit :

« Est-ce que tu crois qu'il deviendra quelqu'un de remarquable? »

Ici la voix de l'oncle se haussa :

« Mais, mon enfant, je voudrais d'abord savoir ce que tu entends par ce mot : remarquable! Mais on peut être très remarquable sans qu'il y paraisse, du moins aux yeux des hommes... très remarquable aux yeux de Dieu.

— C'est bien ainsi que je l'entends, dit Alissa.

— Et puis... est-ce qu'on peut savoir? il est trop jeune... Oui, certainement, il promet beaucoup; mais cela ne suffit pas pour réussir...

— Qu'est-ce qu'il faut encore?

— Mais, mon enfant, que veux-tu que je te dise? Il faut de la confiance, du soutien, de l'amour...

— Qu'appelles-tu du soutien? interrompit Alissa.

— L'affection et l'estime qui m'ont manqué », répondit tristement mon oncle; puis leur voix définitivement se perdit.

Au moment de ma prière du soir, j'eus des remords de mon indiscrétion involontaire, et

me promis de m'en accuser à ma cousine. Peut-
être que cette fois la curiosité d'en savoir un
peu plus s'y mêlait.

Aux premiers mots que je lui dis le lendemain :

« Mais Jérôme, c'est très mal d'écouter ainsi.
Tu devais nous avertir ou t'en aller.

— Je t'assure que je n'écoutais pas... que j'entendais sans le vouloir... Puis vous ne faisiez que
passer.

— Nous marchions lentement.

— Oui, mais je n'entendais qu'à peine. J'ai
cessé de vous entendre aussitôt... Dis, que t'a
répondu mon oncle quand tu lui as demandé ce
qu'il fallait pour réussir?

— Jérôme, dit-elle en riant, tu l'as parfaitement entendu! Tu t'amuses à me le faire redire.

— Je t'assure que je n'ai entendu que le
commencement... quand il parlait de confiance
et d'amour.

— Il a dit, après, qu'il fallait beaucoup
d'autres choses.

— Mais toi, qu'est-ce que tu avais répondu? »

Elle devint tout à coup très grave :

« Quand il a parlé de soutien dans la vie, j'ai
répondu que tu avais ta mère.

— Oh! Alissa, tu sais bien que je ne l'aurai
pas toujours... Et puis ce n'est pas la même
chose... »

Elle baissa le front :

« C'est aussi ce qu'il m'a répondu. »

Je lui pris la main en tremblant.

« Tout ce que je serai plus tard, c'est pour toi que je le veux être.

— Mais, Jérôme, moi aussi je peux te quitter. »

Mon âme entrait dans mes paroles :

« Moi, je ne te quitterai jamais. »

Elle haussa un peu les épaules :

« N'es-tu pas assez fort pour marcher seul? C'est tout seul que chacun de nous doit gagner Dieu.

— Mais c'est toi qui me montres la route.

— Pourquoi veux-tu chercher un autre guide que le Christ?... Crois-tu que nous soyons jamais plus près l'un de l'autre que lorsque, chacun de nous deux oubliant l'autre, nous prions Dieu?

— Oui, de nous réunir, interrompis-je; c'est ce que je lui demande chaque matin et chaque soir.

— Est-ce que tu ne comprends pas ce que peut être la communion en Dieu?

— Je la comprends de tout mon cœur : c'est se retrouver éperdument dans une même chose adorée. Il me semble que c'est précisément pour te retrouver que j'adore ce que je sais que tu adores aussi.

— Ton adoration n'est point pure.

— Ne m'en demande pas trop. Je ferais fi du ciel si je ne devais pas t'y retrouver. »

Elle mit un doigt sur ses lèvres et un peu solennellement :

« *Recherchez premièrement le royaume de Dieu et sa justice.* »

En transcrivant nos paroles, je sens bien qu'elles paraîtront peu enfantines à ceux qui ne savent pas combien sont volontiers graves les propos de certains enfants. Qu'y puis-je? Chercherai-je à les excuser? Pas plus que je ne veux les farder pour les faire paraître plus naturelles.

Nous nous étions procuré les Evangiles dans le texte de la Vulgate et en savions par cœur de longs passages. Sous prétexte d'aider son frère, Alissa avait appris avec moi le latin; mais plutôt, je suppose, pour continuer de me suivre dans mes lectures. Et, certes, à peine osais-je prendre goût à une étude où je savais qu'elle ne m'accompagnerait pas. Si cela m'empêcha parfois, ce ne fut pas, comme on pourrait le croire, en arrêtant l'élan de mon esprit; au contraire, il me semblait qu'elle me précédât. partout librement. Mais mon esprit choisissait ses voies selon elle, et ce qui nous occupait alors, ce que nous appelions : pensée, n'était souvent qu'un prétexte à quelque communion plus savante qu'un déguisement du sentiment, qu'un revêtement de l'amour.

Ma mère avait pu s'inquiéter d'abord d'un sentiment dont elle ne mesurait pas encore la profondeur; mais, à présent qu'elle sentait ses forces décliner, elle aimait à nous réunir dans un même embrassement maternel. La maladie de cœur dont elle souffrait depuis longtemps lui causait de plus en plus fréquents malaises. Au cours d'une crise particulièrement forte, elle me fit approcher d'elle :

« Mon pauvre petit, tu vois que je vieillis beaucoup, me dit-elle; un jour je te laisserai brusquement. »

Elle se tut, très oppressée. Irrésistiblement, alors je m'écriai, ce qu'il semblait qu'elle attendît que je lui dise :

« Maman..., tu sais que je veux épouser Alissa. » Et ma phrase faisait suite sans doute à ses plus intimes pensées, car elle reprit aussitôt :

« Oui, c'est de cela que je voulais te parler, mon Jérôme.

— Maman! dis-je en sanglotant : tu crois qu'elle m'aime, n'est-ce pas?

— Oui, mon enfant. » Elle répéta plusieurs fois tendrement : « Oui, mon enfant. » Elle parlait péniblement. Elle ajouta : « Il faut laisser faire au Seigneur. » Puis, comme j'étais incliné près d'elle, elle posa sa main sur ma tête, dit encore :

« Que Dieu vous garde, mes enfants! Que Dieu vous garde tous les deux! » puis tomba dans une sorte d'assoupissement dont je ne cherchai pas à la tirer.

Cette conversation ne fut jamais reprise; le lendemain, ma mère se sentit mieux; je repartis pour mes cours, et le silence se referma sur cette demi-confidence. Du reste, qu'eussé-je appris

davantage? Qu'Alissa m'aimât, je n'en pouvais
douter un instant. Et quand je l'eusse fait
jusqu'alors, le doute eût disparu pour jamais
de mon cœur lors du triste événement qui
suivit.

Ma mère s'éteignit très doucement un soir,
entre Miss Ashburton et moi. La dernière crise
qui l'enleva ne semblait d'abord pas plus forte
que les précédentes; elle ne prit un caractère
alarmant que vers la fin, avant laquelle aucun
de nos parents n'eut le temps d'accourir. C'est
près de la vieille amie de ma mère que je restai
à veiller la chère morte la première nuit. J'aimais profondément ma mère et m'étonnais malgré mes larmes de ne point sentir en moi de tristesse; lorsque je pleurais, c'était en m'apitoyant
sur Miss Ashburton, qui voyait son amie, plus
jeune qu'elle de beaucoup d'années, la précéder
ainsi devant Dieu. Mais la secrète pensée que ce
deuil allait précipiter vers moi ma cousine domi-
nait immensément mon chagrin.

Le lendemain, arriva mon oncle. Il me tendit
une lettre de sa fille qui ne vint, avec ma tante
Plantier, que le jour suivant :

... Jérôme, mon ami, mon frère, y disait-elle...,
combien je me désole de n'avoir pas pu lui dire
avant sa mort les quelques mots qui lui eussent
donné ce grand contentement qu'elle attendait.
A présent, qu'elle me pardonne! et que Dieu
seul nous guide tous deux désormais! Adieu,

*mon pauvre ami. Je suis, plus tendrement que
jamais, ton Alissa.*

Qu'eût pu signifier cette lettre? Quels étaient
donc ces mots qu'elle se désolait de n'avoir pas
prononcés, sinon ceux par lesquels elle eût
engagé notre avenir? J'étais si jeune encore que
je n'osais pourtant demander aussitôt sa main.
Du reste, avais-je besoin de sa promesse?
N'étions-nous pas déjà comme fiancés? Notre
amour n'était plus un secret pour nos proches;
mon oncle, pas plus que ma mère, n'y apportait
d'obstacles; au contraire, il me traitait déjà
comme son fils.

Les vacances de Pâques, qui vinrent quelques
jours après, je les passai au Havre, logeant chez
ma tante Plantier, et prenant presque tous mes
repas chez mon oncle Bucolin.

Ma tante Félicie Plantier était la meilleure des
femmes, mais ni mes cousines ni moi n'avions
avec elle une grande intimité. Un affairement
continu l'essoufflait; ses gestes étaient sans dou-
ceur, sa voix était sans mélodie; elle nous bous-
culait de caresses, prise, à n'importe quel
moment du jour, d'un besoin d'effusion où son
affection pour nous débordait. Mon oncle Bucolin l'aimait beaucoup, mais rien qu'au son de sa
voix, lorsqu'il lui parlait, il nous était aisé de
sentir combien il avait préféré ma mère.

« Mon pauvre enfant, commença-t-elle un

soir, je ne sais ce que tu as l'intention de faire
cet été, mais j'attendrai de connaître tes projets
avant de décider de ce que je ferai moi-même;
si je peux t'être utile...

— Je n'y ai pas encore beaucoup pensé, lui
répondis-je. Peut-être essaierai-je de voyager. »

Elle reprit :

« Tu sais que, chez moi comme à Fongueusemare, tu seras toujours le bienvenu. Tu feras
plaisir à ton oncle et à Juliette en allant là-bas...

— Vous voulez dire à Alissa.

— C'est vrai! Pardon... Croirais-tu que je
m'étais figuré que c'était Juliette que tu aimais!
jusqu'à ce que ton oncle m'eût parlé... il n'y a
pas un mois... Tu sais, moi, je vous aime bien,
mais je ne vous connais pas beaucoup; j'ai si peu
l'occasion de vous voir!... et puis je ne suis guère
observatrice; je n'ai pas le temps de m'arrêter à
regarder ce qui ne me regarde pas. C'est toujours avec Juliette que je t'avais vu jouer...
j'avais pensé... elle est si jolie, si gaie.

— Oui, je joue encore volontiers avec elle;
mais c'est Alissa que j'aime...

— Très bien! très bien, libre à toi... moi, tu
sais, autant te dire que je ne la connais pas; elle
parle moins que sa sœur; je pense que, si tu l'as
choisie, tu as eu quelque bonne raison pour
cela.

— Mais, ma tante, je n'ai pas choisi de l'aimer et je ne me suis jamais demandé quelles
raisons j'avais de...

— Ne te fâche pas. Jérôme; moi je te parle sans malice... Tu m'as fait oublier ce que je voulais te dire... Ah! voici : Je pense, bien entendu, que tout cela finira par un mariage; mais, à cause de ton deuil, tu ne peux pas te fiancer déjà, décemment... et puis, tu es encore bien jeune... J'ai pensé que ta présence à Fongueusemare, à présent que tu y serais sans ta mère, pourrait être mal vue...

— Mais, ma tante, c'est précisément pour cela que je parlais de voyager.

— Oui. Eh bien, mon enfant, j'ai pensé que ma présence à moi pourrait faciliter les choses et je me suis arrangée de manière à être libre une partie de l'été.

— Pour peu que je l'en eusse priée, Miss Ashburton serait venue volontiers.

— Je sais déjà qu'elle viendra. Mais cela ne suffit pas! J'irai également... Oh! je n'ai pas la prétention de remplacer ta pauvre mère, ajouta-t-elle, en sanglotant subitement; — mais je m'occuperai du ménage... et enfin ni toi, ni ton oncle, ni Alissa n'aurez à vous sentir gênés. »

Ma tante Félicie s'abusait sur l'efficacité de sa présence. A vrai dire, nous ne fûmes gênés que par elle. Ainsi qu'elle l'avait annoncé, elle s'installa, dès juillet, à Fongueusemare, où Miss Ashburton et moi ne tardâmes pas à la rejoindre. Sous prétexte d'aider Alissa dans les soins de la maison, elle emplissait cette maison si tranquille

d'une rumeur continue. L'empressement qu'elle
mettait à nous être agréable et, comme elle
disait, à « faciliter les choses », était si épais que
nous restions le plus souvent, Alissa et moi,
contraints et quasi muets devant elle. Elle dut
nous trouver bien froids... — Et quand nous ne
nous serions pas tus, aurait-elle pu comprendre
la nature de notre amour? — Le caractère de
Juliette, par contre, s'accommodait assez de cette
exubérance; et peut-être quelque ressentiment
gênait-il mon affection pour ma tante, à la voir
manifester pour la cadette de ses nièces une pré-
dilection très marquée.

Un matin, après l'arrivée du courrier, elle me
fit venir :

« Mon pauvre Jérôme, je suis absolument
désolée; ma fille est souffrante et m'appelle; je
vais être forcée de vous quitter... »

Gonflé d'inutiles scrupules, j'allai trouver mon
oncle, ne sachant plus si j'oserais rester à Fongueusemare après le départ de ma tante. Mais
dès les premiers mots :

« Qu'est-ce que ma pauvre sœur vient encore
imaginer pour compliquer les choses les plus
naturelles? Eh! pourquoi nous quitterais-tu,
Jérôme? s'écria-t-il. N'es-tu pas déjà presque mon
enfant? »

Ma tante n'était guère restée à Fongueusemare
que quinze jours. Dès qu'elle fut partie, la maison
put se recueillir; cette sérénité de nouveau l'ha-

bita qui ressemblait beaucoup au bonheur. Mon
deuil n'avait pas assombri, mais comme aggravé
notre amour. Une vie au monotone cours commença où, comme en un milieu très sonore, le
moindre mouvement de nos cœurs s'entendait.

Quelques jours après le départ de ma tante,
un soir, à table, nous parlâmes d'elle — je me
souviens :

« Quelle agitation! disons-nous. Se peut-il que
les flots de la vie ne laissent pas plus de répit à
son âme? Belle apparence de l'amour, que
devient ici ton reflet? » ... Car nous nous souve-
nions du mot de Goethe qui, parlant de Mme de
Stein, écrivait : « Il serait beau de voir se réflé-
chir le monde dans cette âme. » Et nous établis-
sions aussitôt je ne sais quelle hiérarchie, estimant au plus haut les facultés contemplatives.
Mon oncle, qui s'était tu jusqu'alors, nous reprit
en souriant tristement :

« Mes enfants, dit-il, même brisée, Dieu
reconnaîtra son image. Gardons-nous de juger les
hommes d'après un seul moment de leur vie.
Tout ce qui vous déplaît en ma pauvre sœur,
elle le doit à des événements que je connais trop
pour pouvoir la critiquer aussi sévèrement que
vous faites. Il n'y a pas qualité si plaisante de la
jeunesse qui ne puisse, à vieillir, se gâter. Ce que
vous appelez : agitation, chez Félicie, n'était
d'abord qu'élan charmant, prime-saut, abandon
à l'instant et grâce... Nous étions pas bien diffé-

rents, je vous assure, de ce que vous paraissez
aujourd'hui. J'étais assez pareil à toi, Jérôme;
plus peut-être que je ne le sais. Félicie ressemblait beaucoup à ce qu'est à présent Juliette...
oui, physiquement même — et brusquement je
la retrouve, ajouta-t-il en se tournant vers sa fille,
dans certains éclats de ta voix; elle avait ton
sourire — et ce geste, qu'elle a bientôt perdu,
de rester comme toi, parfois, sans rien faire,
assise, les coudes en avant, le front buté dans les
doigts croisés de ses mains. »

Miss Ashburton se tourna vers moi, et presque
à voix basse :

« Ta mère, c'est Alissa qui la rappelle. »

L'été, cette année, fut splendide. Tout semblait pénétré d'azur. Notre ferveur triomphait du
mal, de la mort; l'ombre reculait devant nous.
Chaque matin j'étais éveillé par ma joie; je me
levais dès l'aurore, à la rencontre du jour m'élançais... Quand je rêve à ce temps, je le revois
plein de rosée. Juliette, plus matinale que sa
sœur qui prolongeait très tard ses veillées, descendait avec moi dans le jardin. Entre sa sœur
et moi elle se faisait messagère; je lui racontais
interminablement notre amour et elle ne semblait pas se lasser de m'entendre. Je lui disais ce
que je n'osais dire à Alissa devant qui, par excès
d'amour, je devenais craintif et contraint. Alissa
semblait se prêter à ce jeu, s'amuser que je par-

lasse si gaiement à sa sœur, ignorant ou feignant
d'ignorer qu'au demeurant nous ne parlions que
d'elle.

O feinte exquise de l'amour, de l'excès même
de l'amour, par quel secret chemin tu nous
menas du rire aux pleurs et de la plus naïve
joie à l'exigence de la vertu!

L'été fuyait si pur, si lisse que, de ses glis-
santes journées, ma mémoire aujourd'hui ne
peut presque rien retenir. Les seuls événements
étaient des conversations, des lectures...

« J'ai fait un triste rêve, me dit Alissa, au
matin de mes derniers jours de vacances. Je
vivais et tu étais mort. Non; je ne te voyais pas
mourir. Simplement il y avait ceci : tu étais
mort. C'était affreux; c'est tellement impossible
que j'obtenais que simplement tu sois absent.
Nous étions séparés et je sentais qu'il y avait
moyen de te rejoindre; je cherchais comment,
et, pour y arriver, j'ai fait un tel effort que cela
m'a réveillée.

« Ce matin, je crois que je restais sous l'impression de ce rêve; c'était comme si je le continuais. Il me semblait encore que j'étais séparée
de toi, que j'allais rester séparée de toi longtemps, longtemps — et très bas elle ajouta :
toute ma vie — et que toute la vie il faudrait
faire un grand effort...

— Pourquoi?

— Chacun, un grand effort pour nous rejoindre. »

Je ne prenais pas au sérieux ou craignais de prendre au sérieux ses paroles. Comme pour y protester, mon cœur battant beaucoup, dans un soudain courage je lui dis :

« Eh bien, moi, ce matin, j'ai rêvé que j'allais t'épouser si fort que rien, rien ne pourrait nous séparer — que la mort.

— Tu crois que la mort peut séparer? reprit-elle.

— Je veux dire...

— Je pense qu'elle peut rapprocher, au contraire... oui, rapprocher ce qui a été séparé pendant la vie. »

Tout cela entrait en nous si avant que j'entends encore jusqu'à l'intonation de nos paroles. Pourtant je ne compris toute leur gravité que plus tard.

L'été fuyait. Déjà la plupart des champs étaient vides, où la vue plus inespérément s'étendait. La veille, non, l'avant-veille de mon départ, au soir, je descendais avec Juliette vers le bosquet du bas-jardin.

« Qu'est-ce que tu récitais hier à Alissa? me dit-elle.

— Quand donc?

— Sur le banc de la marnière, quand nous vous avions laissés derrière nous...

— Ah!... quelques vers de Baudelaire, je crois...

— Lesquels? Tu ne veux pas me le dire.

— *Bientôt nous plongerons dans les froides*
[*ténèbres;*

commençai-je d'assez mauvaise grâce; mais elle,
m'interrompant aussitôt, continua d'une voix
tremblante et changée :

— *Adieu, vive clarté de nos étés trop courts!*

— Eh quoi! tu les connais? m'écriai-je, extrêmement surpris. Je croyais que tu n'aimais pas
les vers...

— Pourquoi donc? Est-ce parce que tu ne
m'en récites pas? dit-elle en riant, mais un peu
contrainte... Par moments tu sembles me croire
complètement stupide.

— On peut être très intelligent et n'aimer
pas les vers. Jamais je ne t'en ai entendu dire
ou tu ne m'as demandé d'en réciter.

— Parce qu'Alissa s'en charge... » Elle se tut
quelques instants, puis brusquement :

« C'est après-demain que tu pars?

— Il le faut bien.

— Qu'est-ce que tu vas faire cet hiver?

— Ma première année de Normale.

— Quand penses-tu épouser Alissa?

— Pas avant mon service militaire. Pas
même avant de savoir un peu mieux ce que je
veux faire ensuite.

— Tu ne le sais donc pas encore?

— Je ne veux pas encore le savoir. Trop de

choses m'intéressent. Je diffère le plus que je peux le moment où il me faudra choisir et ne plus faire que cela.

— Est-ce aussi la crainte de te fixer qui te fait différer tes fiançailles? »

Je haussai les épaules sans répondre. Elle insista :

« Alors, qu'est-ce que vous attendez pour vous fiancer? Pourquoi est-ce que vous ne vous fiancez pas tout de suite?

— Mais pourquoi nous fiancerions-nous? Ne nous suffit-il pas de savoir que nous sommes et que nous resterons l'un à l'autre, sans que le monde en soit informé? S'il me plaît d'engager toute ma vie pour elle, trouverais-tu plus beau que je lie mon amour par des promesses? Pas moi. Des vœux me sembleraient une injure à l'amour... Je ne désirerais me fiancer que si je me défiais d'elle.

— Ce n'est pas d'elle que je me défie... »

Nous marchions lentement. Nous étions parvenus à ce point du jardin d'où j'avais naguère involontairement entendu la conversation qu'Alissa avait eue avec son père. Il me vint brusquement à la pensée que peut-être Alissa, que j'avais vue sortir dans le jardin, était assise dans le rond-point et qu'elle pouvait également bien nous entendre; la possibilité de lui faire écouter ce que je n'osais lui dire directement me séduisit aussitôt; amusé par mon artifice, haussant la voix :

« Oh! » m'écriai-je, avec cette exaltation un peu pompeuse de mon âge, et prêtant trop d'attention à mes paroles pour entendre à travers celles de Juliette tout ce qu'elle ne disait pas... « Oh! si seulement nous pouvions, nous penchant sur l'âme qu'on aime, voir en elle, comme en un miroir, quelle image nous y posons! lire en autrui comme en nous-mêmes, mieux qu'en nous-mêmes! Quelle tranquillité dans la tendresse! Quelle pureté dans l'amour!... »

J'eus la fatuité de prendre pour un effet de mon médiocre lyrisme le trouble de Juliette. Elle cacha brusquement sa tête sur mon épaule :

« Jérôme! Jérôme! Je voudrais être sûre que tu la rendras heureuse! Si par toi aussi elle devait souffrir, je crois que je te détesterais.

— Mais, Juliette, m'écriai-je, l'embrassant et relevant son front, je me détesterais moi-même. Si tu savais!... mais c'est pour mieux ne commencer qu'avec elle ma vie que je ne veux pas encore décider de ma carrière! mais je suspends tout mon avenir après elle! mais, tout ce que je pourrais être sans elle, je n'en veux pas...

— Qu'est-ce qu'elle dit lorsque tu lui parles de cela?

— Mais je ne lui parle jamais de cela! Jamais; c'est aussi pour cela que nous ne nous fiançons pas encore; jamais il n'est question de

mariage entre nous, ni de ce que nous ferons
ensuite. O Juliette! la vie avec elle m'apparaît
tellement belle que je n'ose pas... comprends-tu
cela? que je n'ose pas lui en parler.

— Tu veux que le bonheur la surprenne.

— Non! ce n'est pas cela. Mais j'ai peur...
de lui faire peur, comprends-tu?... J'ai peur
que cet immense bonheur, que j'entrevois, ne
l'effraie! — Un jour, je lui ai demandé si elle
souhaitait voyager. Elle m'a dit qu'elle ne
souhaitait rien, et qu'il lui suffisait de savoir
que ces pays existaient, qu'ils étaient beaux,
qu'il était permis à d'autres d'y aller...

— Toi, Jérôme, tu désires voyager?

— Partout! la vie tout entière m'apparaît
comme un long voyage — avec elle, à travers les
livres, les hommes, les pays... Songes-tu à ce que
signifient ces mots : lever l'ancre?

— Oui; j'y pense souvent », murmura-t-elle.

Mais moi qui l'écoutais à peine et qui laissais
tomber à terre ses paroles comme de pauvres
oiseaux blessés, je reprenais :

« Partir la nuit; se réveiller dans l'éblouissement de l'aurore : se sentir tous deux seuls sur
l'incertitude des flots...

— Et l'arrivée dans un port que tout enfant
déjà l'on avait regardé sur les cartes; où tout
est inconnu... Je t'imagine sur la passerelle,
descendant du bateau avec Alissa appuyée à ton
bras.

— Nous irions vite à la poste, ajoutai-je en

riant, réclamer la lettre que Juliette nous aurait
écrite...

— ... de Fongueusemare, où elle serait restée,
et qui vous apparaîtrait tout petit, tout triste et
tout loin... »

Sont-ce là précisément ses paroles? je ne puis
l'affirmer, car, je vous le dis, j'étais si plein de
mon amour qu'à peine entendais-je, auprès,
quelque autre expression que la sienne.

Nous arrivions près du rond-point; nous
allions revenir sur nos pas, quand, sortant de
l'ombre, Alissa se montra tout à coup. Elle était
si pâle que Juliette se récria.

« En effet, je ne me sens pas très bien, bal-
butia hâtivement Alissa. L'air est frais. Je crois
que je ferais mieux de rentrer. » Et tout aussitôt nous quittant. elle s'en retourna d'un pas
rapide, vers la maison.

« Elle a entendu ce que nous disions s'écria
Juliette dès qu'Alissa se fut un peu éloignée.

— Mais nous n'avons rien dit qui puisse la
peiner. Au contraire...

— Laisse-moi », dit-elle en s'élançant à la
poursuite de sa sœur.

Cette nuit, je ne pus dormir. Alissa avait
paru au dîner, puis s'était retirée aussitôt
après, se plaignant de migraine. Qu'avait-elle
entendu de notre conversation? Et je me remé-
morais inquiètement nos paroles. Puis je songeais que peut-être j'avais eu tort, marchant

trop près de Juliette, d'abandonner mon bras
autour d'elle; mais c'était habitude d'enfant; et
maintes fois déjà Alissa nous avait vus marchant
ainsi. Ah! triste aveugle que j'étais, cherchant
mes torts en tâtonnant, de n'avoir pas songé un
instant que les paroles de Juliette, que j'avais
si mal écoutées et dont je me souvenais si mal,
Alissa les avait peut-être mieux entendues.
N'importe! égaré par mon inquiétude, épouvanté à l'idée qu'Alissa pût douter de moi, et
n'imaginant pas d'autre péril, je me résolus,
malgré ce que j'en avais pu dire à Juliette, et
peut-être impressionné par ce qu'elle m'en
avait dit, je me résolus à vaincre mes scrupules, mon appréhension et à me fiancer le lendemain.

C'était la veille de mon départ. Je pouvais
attribuer à cela sa tristesse. Il me parut qu'elle
m'évitait. Le jour passait sans que j'eusse pu
la rencontrer seule; la crainte de devoir partir
avant de lui avoir parlé me poussa jusque
dans sa chambre peu de temps avant le dîner;
elle mettait un collier de corail et pour l'attacher levait les bras et se penchait, tournant le
dos à la porte et regardant par-dessus son épaule,
dans un miroir entre deux flambeaux allumés.
C'est dans le miroir qu'elle me vit d'abord et
qu'elle continua de me regarder quelques
instants, sans se retourner.

« Tiens! Ma porte n'était donc pas fermée? dit-elle.

— J'ai frappé; tu n'as pas répondu, Alissa, tu sais que je pars demain? »

Elle ne répondit rien, mais posa sur la cheminée le collier qu'elle ne parvenait pas à agrafer. Le mot : fiançailles me paraissait trop nu, trop brutal, j'employai je ne sais quelle périphrase à la place. Dès qu'Alissa me comprit, il me parut qu'elle chancela, s'appuya contre la cheminée... mais j'étais moi-même si tremblant que craintivement j'évitais de regarder vers elle.

J'étais près d'elle et, sans lever les yeux, lui pris la main; elle ne se dégagea pas, mais, inclinant un peu son visage et soulevant un peu ma main, elle y posa ses lèvres et murmura, appuyée à demi contre moi :

« Non, Jérôme, non; ne nous fiançons pas, je t'en prie... »

Mon cœur battait si fort que je crois qu'elle le sentit; elle reprit plus tendrement : « Non, pas encore... »

Et comme je lui demandais :

« Pourquoi?

— Mais c'est moi qui peux te demander : pourquoi? pourquoi changer? »

Je n'osais lui parler de la conversation de la veille, mais sans doute elle sentit que j'y pensais, et, comme une réponse à ma pensée, dit en me regardant fixement :

« Tu te méprends, mon ami : je n'ai pas
besoin de tant de bonheur. Ne sommes-nous pas
heureux ainsi? »

Elle s'efforçait en vain à sourire.

« Non, puisque je dois te quitter.

— Ecoute, Jérôme, je ne puis te parler ce
soir... Ne gâtons pas nos derniers instants...
Non, non. Je t'aime autant que jamais; rassure-toi. Je t'écrirai; je t'expliquerai. Je te pro-
mets de t'écrire, dès demain... dès que tu seras
parti. — Va, maintenant! Tiens, voici que je
pleure... laisse-moi. »

Elle me repoussait, m'arrachait d'elle doucement — et ce furent là nos adieux, car ce soir
je ne pus plus rien lui dire et, le lendemain,
au moment de mon départ, elle s'enferma dans
sa chambre. Je la vis à sa fenêtre me faire signe
d'adieu en regardant s'éloigner la voiture qui
m'emportait.

III

Je n'avais presque pas pu voir Abel Vautier
cette année; devançant l'appel, il s'était engagé,
tandis que je préparais ma licence en redou-
blant une rhétorique. De deux ans moins âgé
qu'Abel, j'avais remis mon service à la sortie de
l'Ecole Normale, où tous deux nous devions
entrer cette année.

Nous nous revîmes avec plaisir. Au sortir de
l'armée, il avait voyagé plus d'un mois. Je craignais de le trouver changé; simplement il avait
pris plus d'assurance, mais sans rien perdre de
sa séduction. L'après-midi qui précéda la rentrée, et que nous passâmes au Luxembourg, je
ne pus retenir ma confidence et lui parlai
longuement de mon amour, que, du reste, il
connaissait déjà. Il avait, cette année, acquis
quelque pratique des femmes, ce qui lui permettait un air de supériorité un peu fat, mais
dont je ne m'offensai point. Il me plaisanta
pour ce que je n'avais pas su poser mon dernier mot, comme il disait, émettant en axiome

qu'il ne faut jamais laisser une femme se ressaisir. Je le laissai dire, mais pensai que ses excel-
lents arguments n'étaient bons ni pour moi ni
pour elle et qu'il montrait tout simplement
qu'il ne nous comprenait pas bien.

Le lendemain de notre arrivée, je reçus cette
lettre :

> *Mon cher Jérôme,*
>
> *J'ai beaucoup réfléchi à ce que tu me propo-
> sais (ce que je proposais! appeler ainsi nos
> fiançailles!). J'ai peur d'être trop âgée pour toi.
> Cela ne te paraît peut-être pas encore parce que
> tu n'as pas encore eu l'occasion de voir d'autres
> femmes; mais je songe à ce que je souffrirais
> plus tard, après m'être donnée à toi, si je vois
> que je ne puis plus te plaire. Tu vas t'indigner
> beaucoup, sans doute, en me lisant; je crois
> entendre tes protestations : pourtant je te de-
> mande d'attendre encore que tu sois un peu
> plus avancé dans la vie.*
>
> *Comprends que je ne parle ici que pour toi-
> même, car pour moi je crois bien que je ne
> pourrai jamais cesser de t'aimer.*
>
> Alissa.

Cesser de nous aimer! Mais pouvait-il être
question de cela! — J'étais encore plus étonné
qu'attristé, mais si bouleversé que je courus
aussitôt montrer cette lettre à Abel.

« Eh bien, que comptes-tu faire? » dit
celui-ci, après avoir lu la lettre en hochant la
tête et les lèvres serrées. Je soulevai les bras,
plein d'incertitude et de désolation. « J'espère
au moins que tu ne vas pas répondre! Quand
on commence à discuter avec une femme, on
est perdu... Ecoute : en couchant au Havre
samedi, nous pouvons être à Fongueusemare
dimanche matin et rentrer ici pour le premier
cours de lundi. Je n'ai pas revu tes parents
depuis mon service; c'est un prétexte suffisant
et qui me fait honneur. Si Alissa voit que ce
n'est qu'un prétexte, tant mieux! Je m'occuperai de Juliette pendant que tu causeras avec sa
sœur. Tu tâcheras de ne pas faire l'enfant... A
vrai dire, il y a dans ton histoire quelque chose
que je ne m'explique pas bien; tu n'as pas dû
tout me raconter... N'importe! J'éclaircirai ça...
Surtout n'annonce pas notre arrivée : il faut surprendre ta cousine et ne pas lui laisser le temps
de s'armer. »

Le cœur me battait fort en poussant la barrière du jardin. Juliette aussitôt vint à notre
rencontre en courant. Alissa, occupée à la lin-
gerie, ne se hâta pas de descendre. Nous cau-
sions avec mon oncle et Miss Ashburton
lorsqu'enfin elle entra dans le salon. Si notre
brusque arrivée l'avait troublée, du moins
sut-elle n'en rien laisser voir; je pensais à ce que
m'avait dit Abel et que c'était précisément pour

s'armer contre moi qu'elle était restée si longtemps sans paraître. L'extrême animation de
Juliette faisait paraître encore plus froide sa
réserve. Je sentis qu'elle désapprouvait mon
retour; du moins cherchait-elle à montrer dans
son air une désapprobation derrière laquelle je
n'osais chercher une secrète émotion plus vive.
Assise assez loin de nous, dans un coin, près
d'une fenêtre, elle paraissait tout absorbée dans
un ouvrage de broderie, dont elle repérait les
points en remuant les lèvres. Abel parlait; heureusement! car, pour moi, je ne m'en sentais pas
la force, et sans les récits qu'il faisait de son
année de service et de son voyage, les premiers
instants de ce revoir eussent été mornes. Mon
oncle lui-même semblait particulièrement soucieux.

Sitôt après le déjeuner, Juliette me prit à
part et m'entraîna dans le jardin :

« Figure-toi qu'on me demande en mariage!
s'écria-t-elle dès que nous fûmes seuls. La tante
Félicie a écrit hier à papa pour lui faire part des
avances d'un viticulteur de Nîmes; quelqu'un
de très bien, affirme-t-elle, qui s'est épris de moi
pour m'avoir rencontrée quelquefois dans le
monde ce printemps.

— Tu l'as remarqué, ce Monsieur? inter-
rogeai-je avec une involontaire hostilité contre
le prétendant.

— Oui, je vois bien qui c'est. Une espèce de
Don Quichotte bon enfant, sans culture, très

laid, très vulgaire, assez ridicule et devant qui
la tante ne pouvait garder son sérieux.

— Est-ce qu'il a... des chances? dis-je, sur un
ton moqueur.

— Voyons, Jérôme! Tu plaisantes! Un négo-
ciant!... Si tu l'avais vu, tu ne m'aurais pas posé
la question.

— Et... Qu'est-ce que mon oncle a répondu?

— Ce que j'ai répondu moi-même : que
j'étais trop jeune pour me marier... Malheureusement, ajouta-t-elle en riant, ma tante avait
prévu l'objection; dans un post-scriptum elle dit
que M. Edouard Teissières, c'est son nom,
consent à attendre, qu'il se déclare aussi tôt
simplement pour « prendre rang »... C'est
absurde; mais qu'est-ce que tu veux que j'y
fasse? Je ne peux pourtant pas lui faire dire
qu'il est trop laid!

— Non, mais que tu ne veux pas épouser un
viticulteur. »

Elle haussa les épaules :

« Ce sont des raisons qui n'ont pas cours dans
l'esprit de ma tante... Laissons cela. — Alissa t'a
écrit? »

Elle parlait avec une volubilité extrême et
semblait dans une grande agitation. Je lui tendis la lettre d'Alissa, qu'elle lut en rougissant
beaucoup. Je crus distinguer un accent de
colère dans sa voix quand elle me demanda :

« Alors, qu'est-ce que tu vas faire?

— Je ne sais plus, répondis-je. A présent que

je suis ici, je sens que j'aurais plus facilement fait d'écrire, et je me reproche déjà d'être venu. Tu comprends ce qu'elle a voulu dire?

— Je comprends qu'elle veut te laisser libre.

— Mais est-ce que j'y tiens, moi, à ma liberté? Et tu comprends pourquoi elle m'écrit cela? »

Elle répondit : Non, si sèchement que, sans du tout pressentir la vérité, du moins me persuadai-je dès cet instant que Juliette n'en était peut-être pas ignorante. — Puis, brusquement, tournant sur elle-même à un détour de l'allée que nous suivions :

« A présent, laisse-moi. Ce n'est pas pour causer avec moi que tu es venu. Nous sommes depuis bien trop longtemps ensemble. »

Elle s'enfuit en courant vers la maison et un instant après je l'entendis au piano.

Quand je rentrai dans le salon, elle causait, sans s'arrêter de jouer, mais indolemment à présent et comme improvisant au hasard, avec Abel qui était venu la rejoindre. Je les laissai. J'errai assez longtemps dans le jardin à la recherche d'Alissa.

Elle était au fond du verger, cueillant au pied d'un mur les premiers chrysanthèmes qui mêlaient leur parfum à celui des feuilles mortes de la hêtraie. L'air était saturé d'automne. Le soleil ne tiédissait plus qu'à peine les espaliers,

mais le ciel était orientalement pur. Elle avait
le visage encadré, caché presque au fond d'une
grande coiffe zélandaise qu'Abel lui avait rap-
portée de voyage et qu'elle avait mise aussitôt.
Elle ne se retourna pas d'abord à mon approche,
mais un léger tressaillement qu'elle ne put répri-
mer m'avertit qu'elle avait reconnu mon pas; et
déjà je me raidissais, m'encourageais contre ses
reproches et la sévérité qu'allait faire peser sur
moi son regard. Mais lorsque je fus assez près,
comme craintivement je ralentissais déjà mon
allure, elle, sans d'abord tourner le front vers
moi, mais le gardant baissé comme fait un enfant
boudeur, tendit vers moi, presque en arrière, la
main qu'elle avait pleine de fleurs, semblant
m'inviter à venir. Et comme, au contraire, par
jeu, à ce geste, je m'arrêtais, elle, se retournant
enfin, fit vers moi quelques pas, relevant son
visage, et je le vis plein de sourire. Éclairé par
son regard, tout me parut soudain de nouveau
simple, aisé, de sorte que, sans effort et d'une
voix non changée, je commençai :

« C'est ta lettre qui m'a fait revenir.

— Je m'en suis bien doutée », dit-elle, puis,
émoussant par l'inflexion de sa voix l'aiguillon
de sa réprimande : « et c'est bien là ce qui me
fâche. Pourquoi as-tu mal pris ce que je disais?
C'était pourtant bien simple... (Et déjà tristesse
et difficulté ne m'apparaissaient plus en effet
qu'imaginaires, n'existaient plus qu'en mon
esprit.) Nous étions heureux ainsi, je te l'avais

bien dit, pourquoi t'étonner que je refuse
lorsque tu me proposes de changer? »

En effet, je me sentais heureux auprès d'elle,
si parfaitement heureux que ma pensée allait
chercher à ne différer plus en rien de la sienne;
et déjà je ne souhaitais plus rien au-delà de son
sourire, et que de marcher avec elle, ainsi, dans
un tiède chemin bordé de fleurs, en lui donnant
la main.

« Si tu le préfères, lui dis-je gravement, rési-
gnant d'un coup tout autre espoir et m'aban-
donnant au parfait bonheur de l'instant, — si tu
le préfères nous ne nous fiancerons pas. Quand
j'ai reçu ta lettre, j'ai bien compris du même
coup que j'étais heureux, en effet, et que j'allais
cesser de l'être. Oh! rends-moi ce bonheur que
j'avais; je ne puis pas m'en passer. Je t'aime assez
pour t'attendre toute ma vie; mais, que tu doives
cesser de m'aimer ou que tu doutes de mon
amour, Alissa, cette pensée m'est insupportable.

— Hélas! Jérôme, je n'en puis pas douter. »

Et sa voix en me disant cela était à la fois
calme et triste; mais le sourire qui l'illuminait
restait si sereinement beau que je prenais honte
de mes craintes et de mes protestations; il me
semblait alors que d'elles seules vînt cet arrière-
son de tristesse que je sentais au fond de sa voix.
Sans aucune transition, je commençai à parler de
mes projets, de mes études et de cette nouvelle
forme de vie de laquelle je me promettais tant
de profit. L'Ecole normale n'était pas alors ce

qu'elle est devenue depuis peu; une discipline assez rigoureuse ne pesait qu'aux esprits indolents ou rétifs; elle favorisait l'effort d'une volonté studieuse. Il me plaisait que cette habitude quasi monacale me préservât d'un monde qui, du reste, m'attirait peu et qu'il m'eût suffi qu'Alissa pût craindre pour m'apparaître haïssable aussitôt. Miss Ashburton gardait à Paris l'appartement qu'elle occupait d'abord avec ma mère. Ne connaissant guère qu'elle à Paris, Abel et moi passerions quelques heures de chaque dimanche auprès d'elle; chaque dimanche j'écrirais à Alissa et ne lui laisserais rien ignorer de ma vie.

Nous étions assis à présent sur le cadre des châssis ouverts qui laissaient déborder au hasard d'énormes tiges de concombre dont les derniers fruits étaient cueillis. Alissa m'écoutait, me questionnait; jamais encore je n'avais senti sa tendresse plus attentive, ni son affection plus pressante. Crainte, souci, même le plus léger émoi s'évaporait dans son sourire, se résorbait dans cette intimité charmante, comme les brumes dans le parfait azur du ciel.

Puis, sur un banc de la hêtraie où Juliette et Abel étaient venus nous rejoindre, nous occupâmes la fin du jour à relire *Le Triomphe du temps,* de Swinburne, chacun de nous en lisant tour à tour une strophe. Le soir vint.

« Allons! » dit Alissa en m'embrassant, au moment de notre départ, plaisantant à demi, mais pourtant avec cet air de sœur aînée que peut-être ma conduite inconsidérée l'invitait à prendre et qu'elle prenait volontiers. « Promets-moi maintenant de n'être plus si romanesque désormais... »

« Eh bien! Es-tu fiancé? me demanda Abel dès que nous fûmes seuls de nouveau.

— Mon cher, il n'en est plus question », répondis-je, ajoutant aussitôt, d'un ton qui coupait court à toute nouvelle question : « Et cela vaut beaucoup mieux ainsi. Jamais je n'ai été plus heureux que ce soir.

— Moi non plus », s'écria-t-il; puis, brusquement, me sautant au cou : « Je m'en vais te dire quelque chose d'admirable, d'extraordinaire! Jérôme, je suis amoureux fou de Juliette! Déjà je m'en doutais un peu l'an dernier; mais j'ai vécu depuis, et je n'avais rien voulu te dire avant d'avoir revu tes cousines. A présent, c'en est fait; ma vie est prise.

J'aime, que dis-je aimer — j'idolâtre Juliette!

« Depuis longtemps il me semblait bien que j'avais pour toi une espèce d'affection de beau-frère... »

Puis, riant et jouant, il m'embrassait à tour de bras et se roulait comme un enfant sur les coussins du wagon qui nous ramenait à Paris. J'étais

tout suffoqué par son aveu, et quelque peu gêné
par l'appoint de littérature que je sentais s'y
mêler; mais le moyen de résister à tant de véhé-
mence et de joie?...

« Enfin quoi! t'es-tu déclaré? parvins-je à lui
demander entre deux effusions.

— Mais non! mais non, s'écria-t-il; je ne veux
pas brûler le plus charmant chapitre de l'histoire.

> *Le meilleur moment des amours*
> *N'est pas quand on a dit : Je t'aime...*

« Voyons! tu ne vas pas me reprocher cela,
toi, le maître de la lenteur.

— Mais enfin, repris-je, un peu agacé, penses-
tu qu'elle, de son côté...?

— Tu n'as donc pas remarqué son trouble en
me revoyant! Et tout le temps de notre visite,
cette agitation, ces rougeurs, cette profusion de
paroles!... Non, tu n'as rien remarqué, naturellement; parce que tu es tout occupé d'Alissa... Et
comme elle me questionnait! comme elle buvait
mes paroles! Son intelligence s'est rudement
développée, depuis un an. Je ne sais où tu avais
pu prendre qu'elle n'aimait pas la lecture; tu
crois toujours qu'il n'y en a que pour Alissa...
Mais mon cher, c'est étonnant tout ce qu'elle
connaît! Sais-tu à quoi nous nous sommes amusés
avant le dîner? A nous remémorer une *Canzone*
du Dante; chacun de nous récitait un vers; et

elle me reprenait quand je me trompais. Tu sais bien :

Amor che nella mente mi ragiona.

« Tu ne m'avais pas dit qu'elle avait appris l'italien.

— Je ne le savais pas moi-même, dis-je, assez surpris.

— Comment! Au moment de commencer la *Canzone*, elle m'a dit que c'était toi qui la lui avais fait connaître.

— Elle m'aura sans doute entendu la lire à sa sœur, un jour qu'elle cousait ou brodait auprès de nous, comme elle fait souvent; mais du diable si elle a laissé paraître qu'elle comprenait.

— Vrai! Alissa et toi, vous êtes stupéfiants d'égoïsme. Vous voilà tout confits dans votre amour, et vous n'avez pas un regard pour l'éclosion admirable de cette intelligence, de cette âme! Ce n'est pas pour me faire un compliment, mais tout de même il était temps que j'arrive... Mais non, mais non, je ne t'en veux pas, tu vois bien, disait-il en m'embrassant encore. Seulement, promets-moi : pas un mot de tout ça à Alissa. Je prétends mener mon affaire tout seul. Juliette est prise, c'est certain, et assez pour que j'ose la laisser jusqu'aux prochaines vacances. Je pense même ne pas lui écrire d'ici là. Mais, le congé du Nouvel An, toi et moi, nous irons le passer au Havre, et alors...

— Et alors?...

— Eh bien, Alissa apprendra tout d'un coup nos fiançailles. Je compte mener ça rondement. Et sais-tu ce qui va se passer? Ce consentement d'Alissa, que tu n'es pas capable de décrocher, je te l'obtiendrai par la force de notre exemple. Nous lui persuaderons qu'on ne peut célébrer notre mariage avant le vôtre... »

Il continuait, me submergeait sous un intarissable flux de paroles qui ne s'arrêta même pas à l'arrivée du train à Paris, même pas à notre rentrée à Normale, car, bien que nous eussions fait à pied le chemin de la gare à l'Ecole, et malgré l'heure avancée de la nuit, Abel m'accompagna dans ma chambre, où nous prolongeâmes la conversation jusqu'au matin.

L'enthousiasme d'Abel disposait du présent et de l'avenir. Il voyait, racontait déjà nos doubles noces; imaginait, peignait la surprise et la joie de chacun; s'éprenait de la beauté de notre histoire, de notre amitié, de son rôle dans mes amours. Je me défendais mal contre une si flatteuse chaleur, m'en sentais enfin pénétré et cédais doucement à l'attrait de ses propositions chimériques. A la faveur de notre amour, se gonflaient notre ambition et notre courage; à peine au sortir de l'Ecole, notre double mariage béni par le pasteur Vautier, nous partions tous les quatre en voyage; puis nous lancions dans d'énormes travaux, où nos femmes devenaient volontiers nos collaboratrices. Abel, que le professorat attirait peu et qui se croyait né pour écrire, gagnait rapidement, au moyen de quelques pièces à succès, la fortune qui lui manquait; pour moi, plus attiré par l'étude que par le profit qui peut en revenir, je pensais m'adonner à celle de la philosophie religieuse, dont je projetais d'écrire l'histoire... Mais que sert de rappeler ici tant d'espoirs?

Le lendemain nous nous plongeâmes dans le travail.

IV

LE temps, jusqu'aux vacances du Nouvel An,
était si court que, tout exaltée par mon dernier
entretien avec Alissa, ma foi put ne pas défaillir
un instant. Ainsi que je me l'étais promis, je lui
écrivais très longuement chaque dimanche : les
autres jours, me tenant à l'écart de mes camarades et ne fréquentant guère qu'Abel, je vivais
avec la pensée d'Alissa et couvrais mes livres
favoris d'indications à son usage, soumettant à
l'intérêt qu'elle y pourrait prendre l'intérêt que
moi-même y cherchais. Ses lettres ne laissaient
pas de m'inquiéter; encore qu'elle répondît
assez régulièrement aux miennes, je croyais voir
plutôt, dans son zèle à me suivre, un souci d'encourager mon travail, qu'un entraînement de
son esprit; et même il me semblait, tandis qu'ap-
préciations, discussions, critiques ne m'étaient
qu'un moyen d'exprimer ma pensée, qu'au
contraire elle s'aidât de tout cela pour me cacher
la sienne. Parfois je doutais si elle ne s'en fai-

sait pas un jeu... N'importe! bien résolu à ne me
plaindre de rien, je ne laissais dans mes lettres
rien percer de mon inquiétude.

Vers la fin de décembre, nous partîmes donc
pour Le Havre, Abel et moi.

Je descendis chez ma tante Plantier. Elle
n'était pas à la maison quand j'arrivai. Mais à
peine avais-je eu le temps de m'installer dans
ma chambre qu'un domestique vint m'avertir
qu'elle m'attendait dans le salon.

Elle ne se fut pas plus tôt informée de ma
santé, de mon installation, de mes études que,
se laissant aller sans plus de précautions à son
affectueuse curiosité :

« Tu ne m'as pas encore dit, mon enfant, si
tu avais été content de ton séjour à Fongueusemare? As-tu pu avancer un peu tes affaires? »

Il fallait endurer la maladroite bonhomie de
ma tante; mais pour pénible qu'il me fût d'entendre traiter si sommairement des sentiments
que les mots les plus purs et les plus doux me
semblaient brutaliser encore, cela était dit sur
un ton si simple et si cordial qu'il eût été stupide de s'en fâcher. Néanmoins je me rebiffai
d'abord quelque peu :

« Ne m'avez-vous pas dit au printemps que
vous considériez des fiançailles comme préma-
turées?

— Oui, je sais bien; on dit cela d'abord,
repartit-elle en s'emparant d'une de mes mains

qu'elle pressa pathétiquement dans les siennes. Et puis, à cause de tes études, de ton service militaire, vous ne pouvez pas vous marier avant nombre d'années, je sais bien. D'ailleurs, moi, personnellement, je n'approuve pas beaucoup les longues fiançailles; cela fatigue les jeunes filles... Mais c'est quelquefois bien touchant... Au reste, il n'est pas nécessaire de rendre les fiançailles officielles... seulement cela permet de faire comprendre — oh! discrètement — qu'il n'est plus nécessaire de chercher pour elles; et puis cela autorise votre correspondance, vos rapports; et enfin, si quelque autre parti se présentait de lui-même — et cela pourrait bien arriver, insinua-t-elle avec un sourire pertinent, — cela permet de répondre délicatement que... non; que ce n'est pas la peine. Tu sais qu'on est venu demander la main de Juliette! Elle a été très remarquée, cet hiver. Elle est encore un peu jeune; et c'est aussi ce qu'elle a répondu; mais le jeune homme propose d'attendre; — ce n'est plus précisément un jeune homme... bref, c'est un excellent parti; quelqu'un de très sûr; du reste tu le verras demain; il doit venir à mon arbre de Noël. Tu me diras ton impression.

— Je crains, ma tante, qu'il n'en soit pour ses frais et que Juliette n'ait quelqu'un d'autre en tête, dis-je en faisant un grand effort pour ne pas nommer Abel aussitôt.

— Hum? fit ma tante interrogativement, avec une moue sceptique et portant sa tête de côté.

Tu m'étonnes! Pourquoi ne m'en aurait-elle rien dit? »

Je me mordis les lèvres pour ne pas parler davantage.

« Bah! nous le verrons bien... Elle est un peu souffrante, Juliette, ces derniers temps, reprit-elle... D'ailleurs, ce n'est pas d'elle qu'il s'agit à présent... Ah! Alissa est bien aimable aussi... Enfin, oui ou non, lui as-tu fait ta déclaration? »

Bien que regimbant de tout mon cœur contre ce mot : déclaration, qui me semblait si improprement brutal, pris de front par la question et mal capable de mentir, je répondis confusément :

— Oui — et sentis mon visage s'embraser.

« Et qu'a-t-elle dit? »

Je baissai la tête; j'aurais voulu ne pas répondre. Plus confusément encore et comme malgré moi :

« Elle a refusé de se fiancer.

— Eh bien, elle a raison, cette petite! s'écria ma tante. Vous avez tout le temps, parbleu...

— Oh! ma tante, laissons cela, dis-je en tâchant en vain de l'arrêter.

— D'ailleurs, cela ne m'étonne pas d'elle; elle m'a paru toujours plus raisonnable que toi, ta cousine... »

Je ne sais ce qui me prit alors; énervé sans doute par cet interrogatoire, il me sembla soudain que mon cœur crevait; comme un enfant, je laissai rouler mon front sur les genoux de la bonne tante, et, sanglotant :

« Ma tante, non, vous ne comprenez pas, m'écriai-je. Elle ne m'a pas demandé d'attendre...

— Quoi donc! Elle t'aurait repoussé? dit-elle avec un ton de commisération très doux en me relevant le front de la main.

— Non plus... non, pas précisément. »

Je secouai la tête tristement.

« As-tu peur qu'elle ne t'aime plus?

— Oh! non; ce n'est pas cela que je crains.

— Mon pauvre enfant, si tu veux que je te comprenne, il faut t'expliquer un peu plus clairement. »

J'étais honteux et désolé de m'être laissé aller à ma faiblesse; ma tante restait sans doute incapable d'apprécier les raisons de mon incertitude; mais, si quelque motif précis se cachait derrière le refus d'Alissa, ma tante, en l'interrogeant doucement, m'aiderait peut-être à le découvrir. Elle y vint d'elle-même bientôt :

« Ecoute, reprit-elle : Alissa doit venir demain matin arranger avec moi l'arbre de Noël; je verrai bien vite de quoi il retourne; je te le ferai savoir au déjeuner, et tu comprendras, j'en suis sûre, qu'il n'y a pas de quoi t'alarmer. »

J'allai dîner chez les Bucolin. Juliette, souffrante en effet depuis quelques jours, me parut changée; son regard avait pris une expression un peu farouche et presque dure, qui la faisait différer encore plus qu'auparavant de sa sœur. A aucune d'elles deux je ne pus parler en particulier ce soir-là; je ne le souhaitais point, du reste, et, comme mon oncle se montrait fatigué, je me retirai peu de temps après le repas.

L'arbre de Noël que préparait ma tante Plantier réunissait chaque année un grand nombre d'enfants, de parents et d'amis. Il se dressait dans un vestibule formant cage d'escalier et sur lequel ouvraient une première antichambre, un salon et les portes vitrées d'une sorte de jardin d'hiver où l'on avait dressé un buffet. La toilette de l'arbre n'était pas achevée et, le matin de la fête, lendemain de mon arrivée, Alissa, ainsi que me l'avait annoncé ma tante, vint d'assez bonne heure l'aider à accrocher aux branches les ornements, les lumières, les fruits, les friandises et les jouets. J'aurais pris moi-même grand plaisir auprès d'elle à ces soins, mais il fallait laisser ma tante lui parler. Je partis donc sans l'avoir vue et tâchai toute la matinée d'occuper mon inquiétude.

J'allai d'abord chez les Bucolin, désireux de revoir Juliette; j'appris qu'Abel m'avait devancé auprès d'elle, et, craignant d'interrompre une conversation décisive, je me retirai aussitôt, puis j'errai sur les quais et dans les rues jusqu'à l'heure du déjeuner.

« Gros bêta! s'écria ma tante quand je rentrai, est-il permis de se gâter ainsi la vie! Il n'y a pas un mot de raisonnable dans tout ce que tu

m'as conté ce matin... Oh! je n'y ai pas été par
quatre chemins : j'ai envoyé promener Miss Ashburton qui se fatiguait à nous aider et, dès que
je me suis trouvée seule avec Alissa, je lui ai
demandé tout simplement pourquoi elle ne
s'était pas fiancée cet été. Tu crois peut-être
qu'elle a été embarrassée? — Elle ne s'est pas
troublée un instant, et, tout tranquillement, m'a
répondu qu'elle ne voulait pas se marier avant
sa sœur. Si tu le lui avais demandé franchement,
elle t'aurait répondu comme à moi. Il y a bien
là de quoi se tourmenter, n'est-ce pas? Vois-tu,
mon enfant, il n'y a rien de tel que la franchise...
Pauvre Alissa, elle m'a parlé aussi de son père
qu'elle ne pouvait quitter... Oh! nous avons beaucoup causé. Elle est très raisonnable, cette petite;
elle m'a dit aussi qu'elle n'était pas encore bien
convaincue d'être celle qui te convenait; qu'elle
craignait d'être trop âgée pour toi et souhaite-
rait plutôt quelqu'un de l'âge de Juliette... »

Ma tante continuait; mais je n'écoutais plus;
une seule chose m'importait : Alissa refusait de
se marier avant sa sœur. — Mais Abel n'était-il
pas là! il avait donc raison, ce grand fat : du
même coup, comme il disait, il allait décrocher
nos deux mariages...

Je cachai de mon mieux à ma tante l'agitation
dans laquelle cette révélation pourtant si simple
me plongeait, ne laissant paraître qu'une joie
qui lui parut très naturelle et qui lui plaisait
d'autant plus qu'il semblait qu'elle me l'eût

donnée; mais sitôt après déjeuner je la quittai
sous je ne sais quel prétexte et courus retrouver
Abel.

« Hein! qu'est-ce que je te disais! s'écria-t-il
en m'embrassant, dès que je lui eus fait part de
ma joie. — Mon cher, je peux déjà t'annoncer
que la conversation que j'ai eue ce matin avec
Juliette a été presque décisive, bien que nous
n'ayons presque parlé que de toi. Mais elle
paraissait fatiguée, nerveuse... j'ai craint de l'agi-
ter en allant trop loin et de l'exalter en demeurant trop longtemps. Après ce que tu m'apprends, c'en est fait! Mon cher, je bondis sur ma
canne et mon chapeau. Tu m'accompagnes jusqu'à la porte des Bucolin, pour me retenir si je
m'envole en route : je me sens plus léger qu'Eu-
phorion... Quand Juliette saura que ce n'est qu'à
cause d'elle que sa sœur te refuse son consentement; quand, aussitôt, je ferai ma demande...
Ah! mon ami, je vois déjà mon père, ce soir,
devant l'arbre de Noël, louant le Seigneur en
pleurant de bonheur et étendant sa main pleine
de bénédictions sur les têtes des quatre fiancés
prosternés. Miss Ashburton s'évaporera dans un
soupir, la tante Plantier fondra dans son corsage
et l'arbre tout en feu chantera la gloire de Dieu
et battra des mains à la manière des montagnes
de l'Ecriture. »

Ce n'était que vers la fin du jour qu'on devait
illuminer l'arbre de Noël et qu'enfants, parents

et amis allaient se réunir autour. Désœuvré,
plein d'angoisse et d'impatience, après avoir
laissé Abel, pour tromper mon attente je me lan-
çai dans une longue course sur la falaise de
Sainte-Adresse, m'égarai, fis si bien que, lorsque
je rentrai chez ma tante Plantier, la fête était
depuis quelque temps commencée.

Dès le vestibule, j'aperçus Alissa; elle semblait
m'attendre et vint aussitôt vers moi. Elle portait au cou, dans l'échancrure de son corsage
clair, une ancienne petite croix d'améthyste que
je lui avais donnée en souvenir de ma mère, mais
que je ne lui avais pas encore vu mettre. Ses
traits étaient tirés et l'expression douloureuse de
son visage me fit mal.

« Pourquoi viens-tu si tard? me dit-elle d'une
voix oppressée et rapide. J'aurais voulu te parler.

— Je me suis perdu sur la falaise... Mais
tu es souffrante... Oh! Alissa, qu'est-ce qu'il
y a? »

Elle resta un instant devant moi comme inter-
dite et les lèvres tremblantes; une telle angoisse
m'étreignait que je n'osais l'interroger; elle posa
sa main sur mon cou comme pour attirer mon
visage. Je croyais qu'elle voulait parler; mais à ce
moment des invités entrèrent; sa main découra-
gée retomba...

« Il n'est plus temps », murmura-t-elle. Puis,
voyant mes yeux s'emplir de larmes. et, comme
si cette dérisoire explication eût pu suffire à me

calmer, répondant à l'interrogation de mon
regard :

« Non... rassure-toi : simplement j'ai mal de
tête; ces enfants font un tel vacarme... j'ai dû
me réfugier ici... Il est temps que je retourne
auprès d'eux maintenant. »

Elle me quitta brusquement. Du monde entra
qui me sépara d'elle. Je pensais la rejoindre dans
le salon; je l'aperçus à l'autre extrémité de la
pièce, entourée d'une bande d'enfants dont elle
organisait les jeux. Entre elle et moi je reconnaissais diverses personnes auprès de qui je n'aurais pu m'aventurer sans risquer d'être retenu;
politesses, conversations, je ne m'en sentais pas
capable; peut-être qu'en me glissant le long du
mur... J'essayai.

Comme j'allais passer devant la grande porte
vitrée du jardin, je me sentis saisir par le bras.
Juliette était là, à demi cachée dans l'embrasure,
enveloppée par le rideau.

« Allons dans le jardin d'hiver, dit-elle pré-
cipitamment. Il faut que je te parle. Va de ton
côté; je t'y retrouve aussitôt. » Puis, entrouvrant
un instant la porte, elle s'enfuit dans le jardin.

Que s'était-il passé? J'aurais voulu revoir Abel.
Qu'avait-il dit? Qu'avait-il fait?... Revenant vers
le vestibule, je gagnai la serre où Juliette m'attendait.

Elle avait le visage en feu; le froncement de
ses sourcils donnait à son regard une expression
dure et douloureuse; ses yeux luisaient comme

si elle eût eu la fièvre; sa voix même semblait
rêche et crispée. Une sorte de fureur l'exaltait;
malgré mon inquiétude, je fus étonné, presque
gêné par sa beauté. Nous étions seuls.

« Alissa t'a parlé? me demanda-t-elle aussitôt.

— Deux mots à peine : je suis rentré très
tard.

— Tu sais qu'elle veut que je me marie avant
elle?

— Oui. »

Elle me regardait fixement...

« Et tu sais qui elle veut que j'épouse? »

Je restai sans répondre.

« Toi, reprit-elle dans un cri.

— Mais c'est de la folie!

— N'est-ce pas! » Il y avait à la fois du désespoir et du triomphe dans sa voix. Elle se
redressa, ou plutôt se rejeta toute en arrière...

« Maintenant je sais ce qui me reste à faire »,
ajouta-t-elle confusément en ouvrant la porte du
jardin, qu'elle referma violemment derrière elle.

Tout chancelait dans ma tête et dans mon
cœur. Je sentais le sang battre à mes tempes.
Une seule pensée résistait à mon désarroi :
retrouver Abel; lui pourrait m'expliquer peut-
être les bizarres propos des deux sœurs... Mais
je n'osais rentrer dans le salon où je pensais que
chacun verrait mon trouble. Je sortis. L'air glacé
du jardin me calma; j'y restai quelque temps.

Le soir tombait et le brouillard de mer cachait
la ville; les arbres étaient sans feuilles, la terre
et le ciel paraissaient immensément désolés... Des
chants s'élevèrent; sans doute un chœur d'enfants réunis autour de l'arbre de Noël. Je rentrai par le vestibule. Les portes du salon et de
l'antichambre étaient ouvertes; j'aperçus, dans
le salon maintenant désert, mal dissimulée derrière le piano, ma tante, qui parlait avec
Juliette. Dans l'antichambre, autour de l'arbre
en fête, les invités se pressaient. Les enfants
avaient achevé leur cantique; il se fit un silence,
et le pasteur Vautier, devant l'arbre, commença
une manière de prédication. Il ne laissait échapper aucune occasion de ce qu'il appelait « semer
le bon grain ». Les lumières et la chaleur m'in-
commodaient; je voulus ressortir; contre la porte
je vis Abel; sans doute il était là depuis quelque
temps. Il me regardait hostilement et haussa les
épaules quand nos regards se rencontrèrent.
J'allai à lui.

« Imbécile! » fit-il à demi-voix; puis, soudain : « Ah! tiens! sortons; j'en ai soupé de la
bonne parole! » Et dès que nous fûmes dehors :
« Imbécile! fit-il de nouveau, comme je le regardais anxieusement sans parler. — Mais c'est toi
qu'elle aime, imbécile! Tu ne pouvais donc pas
me le dire? »

J'étais atterré. Je me refusais à comprendre.

« Non, n'est-ce pas! tu ne pouvais même pas
t'en apercevoir tout seul! »

Il m'avait saisi le bras et me secouait furieuse-
ment. Sa voix, entre ses dents serrées se faisait
tremblante et sifflante.

« Abel, je t'en supplie, lui dis-je après un instant de silence, d'une voix qui tremblait aussi,
et tandis qu'il m'entraînait à grands pas au
hasard, — au lieu de t'emporter ainsi, tâche de
me raconter ce qui s'est passé. J'ignore tout. »

A la lueur d'un réverbère, il m'arrêta soudain, me dévisagea; puis m'attirant vivement
contre lui, il posa sa tête sur mon épaule et murmura dans un sanglot :

« Pardon! je suis stupide, moi aussi, et n'ai
pas su y voir plus clair que toi, mon pauvre
frère. »

Ses pleurs parurent un peu le calmer; il releva
la tête, se remit à marcher et reprit :

« Ce qui s'est passé?... A quoi sert à présent
d'y revenir? J'avais parlé à Juliette le matin, je
te l'ai dit. Elle était extraordinairement belle et
animée; je croyais que c'était à cause de moi;
c'était parce que nous parlions de toi, simplement.

— Tu n'as pas su t'en rendre compte alors?...

— Non; pas précisément; mais maintenant les
plus petits indices s'éclairent...

— Es-tu sûr de ne pas te tromper?

— Me tromper! Mais, mon cher, il faut être
aveugle pour ne pas voir qu'elle t'aime.

— Alors Alissa...

— Alors Alissa se sacrifie. Elle avait surpris le secret de sa sœur et voulait lui céder la place. Voyons, mon vieux! ce n'est pas difficile à comprendre, pourtant... J'ai voulu reparler à Juliette; aux premiers mots que je lui ai dits, ou plutôt dès qu'elle a commencé à me comprendre, elle s'est levée du canapé où nous étions assis, a répété plusieurs fois : « J'en étais sûre », du ton d'une personne qui n'en était pas sûre du tout...

— Ah! ne plaisante donc pas!

— Pourquoi? Je trouve ça bouffon, cette histoire... Elle s'est élancée dans la chambre de sa sœur. J'ai surpris des éclats de voix impétueux qui m'alarmaient. J'espérais revoir Juliette, mais au bout d'un instant c'est Alissa qui est sortie. Elle avait son chapeau sur la tête, a paru gênée de me voir, m'a dit rapidement bonjour en passant... C'est tout.

— Tu n'as pas revu Juliette? »

Abel hésita quelque peu :

« Si. Après qu'Alissa fut partie, j'ai poussé la porte de la chambre. Juliette était là, immobile, devant la cheminée, les coudes sur le marbre, le menton dans les mains; elle se regardait fixement dans la glace. Quand elle m'a entendu, elle ne s'est pas retournée, mais a frappé du pied en criant : « Ah! laissez-moi! » d'un ton si dur que je suis reparti sans demander mon reste. Voilà tout.

— Et maintenant?

— Ah! de t'avoir parlé m'a fait du bien... Et maintenant? Eh bien, tu vas tâcher de guérir Juliette de son amour, car, ou je connais bien mal Alissa, ou elle ne te reviendra pas auparavant. »

Nous marchâmes assez longtemps, silencieux.

« Rentrons! dit-il enfin. Les invités sont partis à présent. J'ai peur que mon père ne m'attende. »

Nous rentrâmes. Le salon en effet était vide; il ne restait dans l'antichambre, auprès de l'arbre dépouillé, presque éteint, que ma tante et deux de ses enfants, mon oncle Bucolin, Miss Ashburton, le pasteur, mes cousines et un assez ridicule personnage que j'avais vu causer longuement avec ma tante, mais que je ne reconnus qu'à ce moment pour le prétendant dont m'avait parlé Juliette. Plus grand, plus fort, plus coloré qu'aucun de nous, à peu près chauve, d'autre rang, d'autre milieu, d'autre race, il semblait se sentir étranger parmi nous; il tirait et tordait nerveusement, sous une énorme moustache, un pinceau d'impériale grisonnante. Le vestibule, dont les portes restaient ouvertes, n'était plus éclairé; rentrés tous deux sans bruit, personne ne s'apercevait de notre présence. Un pressentiment affreux m'étreignit :

« Halte! » fit Abel en me saisissant par le bras.

Nous vîmes alors l'inconnu s'approcher de

Juliette, et prendre la main que celle-ci lui
abandonna sans résistance, sans tourner vers lui
son regard. La nuit se fermait dans mon cœur.

« Mais, Abel, que se passe-t-il? murmurai-je,
comme si je ne comprenais pas encore ou espérais que je comprenais mal.

— Parbleu! La petite fait de la surenchère,
dit-il d'une voix sifflante. — Elle ne veut pas
rester au-dessous de sa sœur. Pour sûr que les
anges applaudissent là-haut! »

Mon oncle vint embrasser Juliette, que Miss
Ashburton et ma tante entouraient. Le pasteur
Vautier s'approcha... Je fis un mouvement en
avant. Alissa m'aperçut, courut à moi, frémis-
sante :

« Mais, Jérôme, cela ne se peut pas. Mais elle
ne l'aime pas! Mais elle me l'a dit ce matin
même. Tâche de l'empêcher, Jérôme! Oh!
qu'est-ce qu'elle va devenir?... »

Elle se pendait à mon épaule dans une suppli-
cation désespérée; j'aurais donné ma vie pour
diminuer son angoisse.

Un cri soudain près de l'arbre; un mouve-
men confus... Nous accourons, Juliette est tombée sans connaissance dans les bras de ma tante.
Chacun s'empresse, se penche vers elle, et je
peux à peine la voir; ses cheveux défaits
semblent tirer en arrière sa face affreusement
pâlie. Il paraissait, aux sursauts de son corps,
que ce n'était point là un évanouissement ordinaire.

« Mais non! mais non! dit à haute voix ma
tante, pour rassurer mon oncle Bucolin qui s'ef-
fare et que déjà le pasteur Vautier console, l'in-
dex dirigé vers le ciel, — mais non! ce ne sera
rien. C'est l'émotion; une simple crise de nerfs.
Monsieur Teissières, aidez-moi donc, vous qui
êtes fort. Nous allons la monter dans ma
chambre; sur mon lit... sur mon lit... » Puis
elle se penche sur l'aîné de ses fils, lui dit une
phrase à l'oreille, et je vois celui-ci qui part
aussitôt, sans doute chercher un médecin.

Ma tante et le prétendant maintiennent
Juliette sous les épaules, à demi renversée dans
leurs bras. Alissa soulève les pieds de sa sœur
et les embrasse tendrement. Abel soutient la tête
qui retomberait en arrière, — et je le vois,
courbé, couvrir de baisers ces cheveux abandon-
nés qu'il rassemble.

Devant la porte de la chambre, je m'arrête.
On étend Juliette sur le lit; Alissa dit à M. Teissières et à Abel quelques mots que je n'entends
point; elle les accompagne jusqu'à la porte, nous
prie de laisser reposer sa sœur, auprès de qui elle
veut rester seule avec ma tante Plantier...

Abel me saisit par le bras et m'entraîne au-
dehors, dans la nuit où nous marchons longtemps, sans but, sans courage et sans pensée.

V

Je ne trouvais d'autre raison à ma vie que mon amour, me raccrochais à lui, n'attendais rien, et ne voulais plus rien attendre qui ne me vînt de mon amie.

Le lendemain, comme je m'apprêtais à l'aller voir, ma tante m'arrêta et me tendit cette lettre, qu'elle venait de recevoir :

... La grande agitation de Juliette n'a cédé que vers le matin aux potions prescrites par le docteur. Je supplie Jérôme de ne pas venir d'ici quelques jours. Juliette pourrait reconnaître son pas ou sa voix, et le plus grand calme lui est nécessaire...

Je crains que l'état de Juliette ne me retienne ici. Si je ne parviens pas à recevoir Jérôme avant son départ, dis-lui, chère tante, que je lui écrirai...

La consigne ne visait que moi. Libre à ma tante, libre à tout autre de sonner chez les

Bucolin; et ma tante comptait y aller ce matin même. Le bruit que je pouvais faire? Quel médiocre prétexte... N'importe!

« C'est bien. Je n'irai pas. »

Il m'en coûtait beaucoup de ne pas revoir aussitôt Alissa; mais pourtant je craignais ce revoir; je craignais qu'elle ne me tînt pour responsable de l'état de sa sœur, et supportais plus aisément de ne pas la revoir que de la revoir irritée.

Du moins voulus-je revoir Abel.

A sa porte, une bonne me remit un billet :

Je laisse ce mot pour que tu ne t'inquiètes pas. Rester au Havre, si près de Juliette, m'était intolérable. Je me suis embarqué pour Southampton hier soir, presque aussitôt après t'avoir quitté. C'est à Londres, chez S..., que j'achèverai ces vacances. Nous nous retrouverons à l'Ecole.

... Tout secours humain m'échappait à la fois. Je ne prolongeai pas plus longtemps un séjour qui ne me réservait rien que de douloureux, et regagnai Paris, devançant la rentrée. C'est vers Dieu que je tournai mes regards, vers Celui « de qui découle toute consolation réelle, toute grâce et tout don parfait ». C'est à lui que j'offris ma peine. Je pensais qu'Alissa se réfugiait aussi vers Lui, et de penser qu'elle priait encourageait, exaltait ma prière.

Un long temps passa, de méditation et d'étude,

sans autres événements que les lettres d'Alissa
et celles que je lui écrivais. J'ai gardé toutes ses
lettres; mes souvenirs, dorénavant confus, s'y
repèrent...

Par ma tante — et par elle seule d'abord —
j'eus des nouvelles du Havre; j'appris par elle
quelles inquiétudes le pénible état de Juliette
avait données les premiers jours. Douze jours
après mon départ, enfin, je reçus ce billet
d'Alissa :

*Pardonne-moi, mon cher Jérôme, si je ne t'ai
pas écrit plus tôt. L'état de notre pauvre Juliette
ne m'en a guère laissé le temps. Depuis ton
départ je ne l'ai presque pas quittée. J'avais prié
ma tante de te donner de nos nouvelles et je
pense qu'elle l'aura fait. Tu sais donc que depuis
trois jours Juliette va mieux. Je remercie Dieu
déjà, mais n'ose encore me réjouir.*

Robert également, dont jusqu'à présent je ne
vous ai qu'à peine parlé, avait pu, rentrant à
Paris quelques jours après moi, me donner des
nouvelles de ses sœurs. A cause d'elles je m'oc-
cupais de lui plus que la pente de mon caractère ne m'y eût naturellement porté; chaque fois
que l'école d'agriculture où il était entré le laissait libre, je me chargeais de lui et m'ingéniais
à le distraire.

C'est par lui que j'avais appris ce que je

n'osais demander à Alissa ni à ma tante : Edouard Teissières était venu très assidûment prendre des nouvelles de Juliette; mais quand Robert avait quitté Le Havre, elle ne l'avait pas encore revu. J'appris aussi que Juliette, depuis mon départ, avait gardé devant sa sœur un obstiné silence que rien n'avait pu vaincre.

Puis, par ma tante, peu après, je sus que ces fiançailles de Juliette, qu'Alissa, je le pressentais, espérait voir aussitôt rompues, Juliette elle-même avait demandé qu'on les rendît le plus tôt possible officielles. Cette détermination contre laquelle conseils, injonctions, supplications se brisaient, barrait son front, bandait ses yeux et la murait dans son silence...

Du temps passa. Je ne recevais d'Alissa, à qui du reste je ne savais quoi écrire, que les plus décevants billets. L'épais brouillard d'hiver m'enveloppait; ma lampe d'étude, et toute la ferveur de mon amour et de ma foi écartaient mal, hélas! la nuit et le froid de mon cœur. Du temps passa.

Puis, un matin de printemps subit, une lettre d'Alissa à ma tante, absente du Havre en ce moment — que ma tante me communiqua — d'où je copie ce qui peut éclairer cette histoire :

... Admire ma docilité; ainsi que tu m'y enga-
geais, j'ai reçu M. Teissières; j'ai causé longue-
ment avec lui. Je reconnais qu'il s'est montré
parfait, et j'en viens presque à croire, je l'avoue,

que ce mariage pourra n'être pas si malheureux
que je le craignais d'abord. Certainement
Juliette ne l'aime pas; mais lui me paraît, de
semaine en semaine, moins indigne d'être aimé.
Il parle de la situation avec clairvoyance et ne
se méprend pas au caractère de ma sœur; mais
il a grande confiance dans l'efficacité de son
amour, à lui, et se flatte qu'il n'y ait rien que sa
constance ne pourra vaincre. C'est te dire qu'il
est fort épris.

En effet, je suis extrêmement touchée de voir
Jérôme s'occuper ainsi de mon frère. Je pense
qu'il ne fait cela que par devoir car le caractère
de Robert a peu de rapports avec le sien — et
peut-être aussi pour me plaire — mais sans
doute il a déjà pu reconnaître que, plus le devoir
qu'on assume est ardu, plus il éduque l'âme et
l'élève. Voilà des réflexions bien sublimes! Ne
souris pas trop de ta grande nièce, car ce sont ces
pensées qui me soutiennent et qui m'aident à
tâcher d'envisager le mariage de Juliette comme
un bien.

Que ton affectueuse sollicitude m'est douce,
ma chère tante!... Mais ne crois pas que je sois
malheureuse; je puis presque dire : au contraire
— car l'épreuve qui vient de secouer Juliette a
que je répétais sans trop le comprendre s'est
eu son contrecoup en moi. Ce mot de l'Ecriture
éclairé soudain pour moi : « Malheur à l'homme
qui met sa confiance dans l'homme. » Bien avant

*de la retrouver dans ma Bible, j'avais lu cette
parole sur une petite image de Noël que Jérôme
m'a envoyée lorsqu'il n'avait pas douze ans et
que je venais d'en prendre quatorze. Il y avait,
sur cette image, à côté d'une gerbe de fleurs qui
nous paraissaient alors très jolies, ces vers, d'une
paraphrase de Corneille :*

> Quel charme vainqueur du monde
> Vers Dieu m'élève aujourd'hui?
> Malheureux l'homme qui fonde
> Sur les hommes son appui!

*auxquels j'avoue que je préfère infiniment le
simple verset de Jérémie. Sans doute, Jérôme
avait alors choisi cette carte sans faire grande
attention au verset. Mais, si j'en juge d'après ses
lettres, ses dispositions aujourd'hui sont assez
semblables aux miennes, et je remercie Dieu
chaque jour de nous avoir du même coup rap-
prochés tous deux de Lui.*

*Me souvenant de notre conversation, je ne lui
écris plus aussi longuement que par le passé,
pour ne pas le troubler dans son travail. Tu vas
trouver sans doute que je me dédommage en parlant de lui d'autant plus; de peur de continuer,
j'arrête vite ma lettre; pour cette fois, ne me
gronde pas trop.*

Quelles réflexions me suggéra cette lettre! Je
maudis l'indiscrète intervention de ma tante

(qu'était-ce que cette conversation à laquelle Alissa faisait allusion et qui me valait son silence?), la maladroite attention qui la poussait à me communiquer ceci. Si déjà je supportais mal le silence d'Alissa, ah! ne valait-il pas mieux mille fois me laisser ignorer que, ce qu'elle ne me disait plus, elle l'écrivait à quelque autre! Tout m'irritait ici : et de l'entendre raconter si facilement à ma tante les menus secrets d'entre nous, et le ton naturel, et la tranquillité, le sérieux, l'enjouement...

« Mais non, mon pauvre ami! rien ne t'irrite, dans cette lettre, que de savoir qu'elle ne t'est pas adressée », me dit Abel, mon compagnon quotidien, Abel à qui seul je pouvais parler et vers qui, dans ma solitude, me repenchaient sans cesse faiblesse, besoin plaintif de sympathie, défiance de moi, et, dans mon embarras, crédit que j'attachais à son conseil, malgré la différence de nos natures, ou à cause d'elle plutôt...

« Etudions ce papier », dit-il en étalant la lettre sur son bureau.

Trois nuits avaient déjà passé sur mon dépit que j'avais su garder par-devers moi quatre jours! J'en venais presque naturellement à ce que mon ami sut me dire :

« La partie Juliette-Teissières, nous l'abandonnons au feu de l'amour, n'est-ce pas? Nous savons ce qu'en vaut la flamme. Parbleu! Teissières me paraît bien le papillon qu'il faut pour s'y brûler...

— Laissons cela, lui dis-je, offusqué par ses plaisanteries. Venons au reste.

— Le reste? fit-il... Tout le reste est pour toi. Plains-toi donc! Pas une ligne, pas un mot que ta pensée n'emplisse. Autant dire que la lettre entière t'est adressée; tante Félicie, en te la renvoyant, n'a fait que la retourner à son véritable destinataire; c'est faute de toi qu'Alissa s'adresse à cette brave femme comme au premier pis aller; qu'est-ce que peuvent bien lui faire, à ta tante, les vers de Corneille! — qui, entre parenthèses, sont de Racine; — c'est avec toi qu'elle cause, te dis-je; c'est à toi qu'elle dit tout cela. Tu n'es qu'un niais si ta cousine, avant quinze jours, ne t'écrit pas tout aussi longuement, aisément, agréablement...

— Elle n'en prend guère le chemin!

— Il ne tient qu'à toi qu'elle le prenne! Tu veux mon conseil? — Ne souffle plus mot, d'ici... longtemps, d'amour ni de mariage entre vous; ne vois-tu pas que, depuis l'accident de sa sœur, c'est à cela qu'elle en veut? Travaille sur la fibre fraternelle et parle-lui de Robert inlassablement — puisque tu trouves la patience de t'occuper de ce crétin. Continue simplement d'amuser son intelligence; tout le reste suivra. Ah! si c'était à moi de lui écrire!...

— Tu ne serais pas digne de l'aimer. »

Je suivis néanmoins le conseil d'Abel; et bientôt en effet les lettres d'Alissa recommencèrent de s'animer; mais je ne pouvais espérer de vraie joie de sa part, ni d'abandon sans réticences avant que la situation, sinon le bonheur de Juliette, fût assurée.

Les nouvelles qu'Alissa me donnait de sa sœur devenaient cependant meilleures. Son mariage devait se célébrer en juillet. Alissa m'écrivait qu'elle pensait bien qu'à cette date Abel et moi serions retenus par nos études... Je compris qu'elle jugeait préférable que nous ne parussions pas à la cérémonie, et, prétextant quelque examen, nous nous contentâmes d'envoyer nos vœux.

Quinze jours environ après ce mariage, voici ce que m'écrivit Alissa :

> *Mon cher Jérôme,*
>
> *Juge de ma stupeur, hier, en ouvrant au hasard le joli Racine que tu m'as donné, d'y retrouver les quatre vers de ton ancienne petite image de Noël, que je garde depuis bientôt dix ans dans ma Bible.*
>
> > Quel charme vainqueur du monde
> > Vers Dieu m'élève aujourd'hui?
> > Malheureux l'homme qui fonde
> > Sur les hommes son appui!
>
> *Je les croyais extraits d'une paraphrase de Corneille, et j'avoue que je ne les trouvais pas mer-*

veilleux. Mais, continuant la lecture du IV° Can-
tique spirituel, je tombe sur des strophes telle-
ment belles que je ne puis me retenir de te les
copier. Sans doute tu les connais déjà, si j'en
juge d'après les indiscrètes initiales que tu as
mises en marge du volume (j'avais pris l'habitude en effet de semer mes livres et ceux
d'Alissa de la première lettre de son nom, en
regard de chacun des passages que j'aimais et
voulais lui faire connaître). *N'importe! c'est*
pour mon plaisir que je les transcris. J'étais un
peu vexée d'abord de voir que tu m'offrais ce
que j'avais cru découvrir, puis ce vilain senti-
ment a cédé devant ma joie de penser que tu les
aimais comme moi. En les copiant, il me semble
que je les relis avec toi.

De la sagesse immortelle
La voix tonne et nous instruit :
« Enfants des hommes, dit-elle,
De vos soins quel est le fruit?
Par quelle erreur, âmes vaines,
Du plus pur sang de vos veines
Achetez-vous si souvent,
Non un pain qui vous repaisse,
Mais une ombre qui vous laisse
Plus affamés que devant?

Le pain que je vous propose
Sert aux anges d'aliment;
Dieu lui-même le compose
De la fleur de son froment.
C'est ce pain si délectable
Que ne sert point à sa table

Le monde que vous suivez.
Je l'offre à qui veut me suivre :
Approchez. Voulez-vous vivre?
Prenez, mangez, et vivez. »
.. ..

L'âme heureusement captive
Sous ton joug trouve la paix,
Et s'abreuve d'une eau vive
Qui ne s'épuise jamais.
Chacun peut boire en cette onde,
Elle invite tout le monde;
Mais nous courons follement
Chercher des sources bourbeuses,
Ou des citernes trompeuses
D'où l'eau fuit à tout moment.

*Est-ce beau! Jérôme, est-ce beau! Vraiment
trouves-tu cela aussi beau que moi? Une petite
note de mon édition dit que Mme de Main-
tenon, entendant chanter ce cantique par
Mlle d'Aumale, parut dans l'admiration, « jeta
quelques larmes » et lui fit répéter une partie
du morceau. Je le sais à présent par cœur et ne
me lasse pas de le réciter. Ma seule tristesse, ici,
est de ne pas te l'avoir entendu lire.*

*Les nouvelles de nos voyageurs continuent à
être fort bonnes. Tu sais déjà combien Juliette
a joui de Bayonne et de Biarritz, malgré l'épou-
vantable chaleur. Ils ont depuis visité Fontara-
bie, se sont arrêtés à Burgos, ont traversé deux
fois les Pyrénées... Elle m'écrit à présent du
Monserrat une lettre enthousiaste. Ils pensent*

s'attarder dix jours encore à Barcelone avant de regagner Nîmes, où Edouard veut rentrer avant septembre, afin de tout organiser pour les vendanges.

Depuis une semaine, nous sommes, père et moi, à Fongueusemare, où Miss Ashburton doit venir nous rejoindre demain et Robert dans quatre jours. Tu sais que le pauvre garçon s'est fait refuser à son examen; non point que ce fût difficile, mais l'examinateur lui a posé des questions si baroques qu'il s'est troublé; je ne puis croire que Robert ne fût pas prêt, après ce que tu m'avais écrit de son zèle, mais cet examinateur, paraît-il, s'amuse à décontenancer ainsi les élèves.

Quant à tes succès, cher ami, je puis à peine dire que je t'en félicite, tant ils me paraissent naturels. J'ai si grande confiance en toi, Jérôme! Dès que je pense à toi, mon cœur s'emplit d'espoir. Vas-tu pouvoir commencer dès maintenant le travail dont tu m'avais parlé?...

... Ici rien n'est changé dans le jardin; mais la maison paraît bien vide! Tu auras compris, n'est-ce pas, pourquoi je te priais de ne pas venir cette année; je sens que cela vaut mieux; je me le redis chaque jour, car il m'en coûte de rester si longtemps sans te voir... Parfois, involontairement je te cherche; j'interromps ma lecture, je tourne la tête brusquement... Il me semble que tu es là!

Je reprends ma lettre. Il fait nuit; tout le monde dort; je m'attarde à l'écrire, devant la fenêtre ouverte; le jardin est tout embaumé; l'air est tiède. Te souviens-tu, du temps que nous étions enfants, dès que nous voyions ou entendions quelque chose de très beau, nous pensions : Merci, mon Dieu, de l'avoir créé... Cette nuit, de toute mon âme je pensais : Merci, mon Dieu, d'avoir fait cette nuit si belle! Et tout à coup je t'ai souhaité là, senti là, près de moi, avec une violence telle que tu l'auras peut-être senti.

Oui, tu le disais bien dans ta lettre : l'admiration, « chez les âmes bien nées », se confond en reconnaissance... Que de choses je voudrais t'écrire encore! — Je songe à ce radieux pays dont me parle Juliette. Je songe à d'autres pays plus vastes, plus radieux encore, plus déserts. Une étrange confiance m'habite qu'un jour, je ne sais comment, ensemble, nous verrons je ne sais quel grand pays mystérieux...

Sans doute imaginez-vous aisément avec quels transports de joie je lus cette lettre, et avec quels sanglots d'amour. D'autres lettres suivirent. Certes Alissa me remerciait de ne point venir à Fongueusemare, certes elle m'avait supplié de ne point chercher à la revoir cette année, mais elle regrettait mon absence, elle me souhaitait à présent; de page en page retentissait le même appel. Où pris-je la force d'y résister? Sans doute dans les conseils d'Abel, dans la crainte de ruiner tout à coup ma joie et dans un raidissement naturel contre l'entraînement de mon cœur.

Je copie, des lettres qui suivirent, tout ce qui peut instruire ce récit :

Cher Jérôme,

Je fonds de joie en te lisant. J'allais répondre à ta lettre d'Orvieto, quand, à la fois, celle de Pérouse et celle d'Assise sont arrivées. Ma pensée se fait voyageuse; mon corps seul fait semblant d'être ici; en vérité, je suis avec toi sur les blanches routes d'Ombrie; avec toi je pars au matin, regarde avec un œil tout neuf l'aurore... Sur la terrasse de Cortone m'appelais-tu vraiment? je t'entendais... On avait terriblement soif dans la montagne au-dessus d'Assise! mais que le verre d'eau du Franciscain m'a paru bon! O mon ami! je regarde à travers toi chaque chose. Que j'aime ce que tu m'écris à propos de saint François! Oui, n'est-ce pas, ce qu'il faut chercher c'est une exaltation *et non point une émancipation de la pensée. Celle-ci ne va pas sans un orgueil abominable. Mettre son ambition non à se révolter, mais à servir...*

Les nouvelles de Nîmes sont si bonnes qu'il me paraît que Dieu me permet de m'abandonner à la joie. La seule ombre de cet été, c'est l'état de mon pauvre père; malgré mes soins il

reste triste, ou plutôt il retrouve sa tristesse dès
l'instant que je l'abandonne à lui-même et il
s'en laisse toujours moins aisément tirer. Toute
la joie de la nature parle autour de nous une
langue qui lui devient étrangère; il ne fait
même plus effort pour l'entendre. — Miss Ashburton va bien. Je leur lis à tous deux tes
lettres; chacune nous donne de quoi causer pour
trois jours; alors arrive une lettre nouvelle...

... Robert nous a quittés avant-hier; il va passer la fin des vacances chez son ami R..., dont le
père dirige une ferme modèle. Certainement la
vie que nous menons ici n'est pas bien gaie pour
lui. Je n'ai pu que l'encourager dans son projet,
lorsqu'il a parlé de partir...

... J'ai tant à te dire; j'ai soif d'une si inépui-
sable causerie! parfois je ne trouve plus de mots,
d'idées distinctes, — ce soir j'écris comme en
rêvant — gardant seulement la sensation
presque oppressante d'une infinie richesse à
donner et à recevoir.

Comment avons-nous fait, durant de si longs
mois pour nous taire? Nous hivernions sans
doute. Oh! qu'il soit fini pour jamais, cet
affreux hiver de silence! Depuis que te voilà
retrouvé, la vie, la pensée, notre âme, tout me
paraît beau, adorable, fertile inépuisablement.

                    12 septembre.

*J'ai bien reçu ta lettre de Pise. Nous aussi
nous avons un temps splendide; jamais encore
la Normandie ne m'avait paru si belle. J'ai fait
avant-hier, seule, à pied, une énorme promenade à travers champs, au hasard; je suis rentrée
plus exaltée que lasse, tout ivre de soleil et de
joie. Que les meules, sous l'ardent soleil, étaient
belles! Je n'avais pas besoin de me croire en
Italie pour trouver tout admirable.*

*Oui, mon ami, c'est une exhortation à la joie,
comme tu dis, que j'écoute et comprends dans
« l'hymne confus » de la nature. Je l'entends
dans chaque chant d'oiseau; je la respire dans
le parfum de chaque fleur, et j'en viens à ne
comprendre plus que l'adoration comme seule
forme de la prière — redisant avec saint François : Mon Dieu! Mon Dieu! « e non altro », le
cœur empli d'un* inexprimable *amour.*

*Ne crains pas toutefois que je tourne à l'igno-
rantine! J'ai beaucoup lu ces derniers temps,
quelques jours de pluie aidant, j'ai comme
replié mon adoration dans les livres... Achevé
Malebranche et tout aussitôt pris les* Lettres à
Clarke, *de Leibniz. Puis, pour me reposer, ai lu
les* Cenci, *de Shelley — sans plaisir; lu* La Sen-
sitive *aussi... Je vais peut-être t'indigner; je
donnerais presque tout Shelley, tout Byron,
pour les quatre odes de Keats que nous lisions
ensemble l'été passé; de même que je donnerais
tout Hugo pour quelques sonnets de Baudelaire.
Le mot :* grand *poète, ne veut rien dire : c'est*

être un pur *poète, qui importe... O mon frère!
merci pour m'avoir fait connaître et comprendre
et aimer tout ceci.*

*... Non, n'écourte pas ton voyage pour le plai-
sir de quelques jours de revoir. Sérieusement, il
vaut mieux que nous ne nous revoyions pas
encore. Crois-moi : quand tu serais près de moi,
je ne pourrais penser à toi davantage. Je ne voudrais pas te peiner, mais j'en suis venue à ne
plus souhaiter — maintenant — ta présence. Te
l'avouerais-je? je saurais que tu viens ce soir... je
fuirais.*

*Oh! ne me demande pas de t'expliquer ce...
sentiment, je t'en prie. Je sais seulement que je
pense à toi sans cesse (ce qui doit suffire à ton
bonheur) et que je suis heureuse ainsi.*

. . . .

Peu de temps après cette dernière lettre, et
dès mon retour d'Italie, je fus pris par le service militaire et envoyé à Nancy. Je n'y connaissais âme qui vive, mais je me réjouissais d'être
seul, car il apparaissait ainsi plus clairement à
mon orgueil d'amant et à Alissa que ses lettres
étaient mon seul refuge, et son souvenir,
comme eût dit Ronsard, « ma seule entéléchie ».

A vrai dire, je supportai fort allégrement la
discipline assez dure à laquelle on nous soumettait. Je me raidissais contre tout et, dans les
lettres que j'écrivais à Alissa, ne me plaignais
que de l'absence. Et même nous trouvions dans

la longueur de cette séparation une épreuve digne de notre vaillance. — « Toi qui ne te plains jamais, m'écrivais Alissa; toi que je ne peux imaginer défaillant... » Que n'eussé-je enduré en témoignage à ses paroles?

Un an s'était presque écoulé depuis notre dernier revoir. Elle semblait ne pas y songer, mais faire commencer d'à présent seulement son attente. Je le lui reprochai.

N'étais-je pas avec toi en Italie? répondit-elle. Ingrat! Je ne te quittai pas un seul jour. Comprends donc qu'à présent, pour un temps, je ne peux plus te suivre, et c'est cela, cela seulement que j'appelle séparation. J'essaie bien, il est vrai, de t'imaginer en militaire... Je n'y parviens pas. Tout au plus te retrouvé-je, le soir, dans la petite chambre de la rue Gambetta, écrivant ou lisant... et même, non? en vérité, je ne te retrouve qu'à Fongueusemare ou au Havre dans un an.

Un an! Je ne compte pas les jours déjà passés; mon espoir fixe ce point à venir qui se rapproche lentement, lentement. Tu te rappelles, tout au fond du jardin, le mur bas au pied duquel on abritait les chrysanthèmes et sur lequel nous nous risquions; Juliette et toi vous marchiez là-dessus hardiment comme des musulmans qui vont tout droit au paradis; — pour moi, le vertige me prenait aux premiers pas et

tu me criais d'en bas : « Ne regarde donc pas
à tes pieds!... Devant toi! avance toujours! fixe
le but! » Puis enfin — et cela valait mieux que
tes paroles — tu grimpais à l'extrémité du mur
et m'attendais. Alors je ne tremblais plus. Je ne
sentais plus le vertige : je ne regardais plus que
toi; je courais jusque dans tes bras ouverts...

Sans confiance en toi, Jérôme, que devien-
drai-je? J'ai besoin de te sentir fort; besoin de
m'appuyer sur toi. Ne faiblis pas.

Par une sorte de défi, prolongeant comme à
plaisir notre attente — par crainte aussi d'un
imparfait revoir, nous convînmes que je passe-
rais à Paris, près de Miss Ashburton, mes
quelques jours de permission aux approches du
nouvel an...

Je vous l'ai dit : je ne transcris point toutes
ces lettres. Voici celle que je reçus vers le milieu
de février :

Grande émotion, en passant rue de Paris
avant-hier, de voir, à la devanture de M..., bien
indiscrètement étalé, le livre d'Abel que tu
m'avais annoncé, mais à la réalité duquel je ne
parvenais pas à croire. Je n'ai pu y tenir; je suis
entrée; mais le titre m'en paraissait si ridicule
que j'hésitais à le dire au commis; j'ai même vu
l'instant où j'allais ressortir de la boutique avec
n'importe quel autre ouvrage. Heureusement,

une petite pile de Privautés attendait le client,
près du comptoir — où j'ai jeté cent sous, après
m'être emparée d'un exemplaire, et sans avoir
eu besoin de parler.

Je sais gré à Abel de ne pas m'avoir envoyé
son livre! Je n'ai pu le feuilleter sans honte;
honte non tant à cause du livre même — où je
vois, après tout, plus de sottise encore que d'in-
décence — mais honte à songer qu'Abel, Abel
Vautier, ton ami, l'avait écrit. En vain j'ai cherché de page en page ce « grand talent » que le
critique du Temps y découvre. Dans notre
petite société du Havre, où l'on parle souvent
d'Abel, j'apprends que le livre a beaucoup de
succès. J'entends appeler « légèreté » et « grâce »
l'incurable futilité de cet esprit; naturellement
j'observe une prudente réserve et je ne parle
qu'à toi de ma lecture. Le pauvre pasteur Vautier, que j'ai vu d'abord justement désolé, finit
par se demander s'il n'y aurait pas là plutôt raison d'être fier; chacun autour de lui travaille
à le lui faire croire. Hier, chez tante Plantier,
Mme V... lui ayant dit tout brusquement :
« Vous devez être bien heureux, monsieur le
pasteur, du beau succès de votre fils! » il a
répondu, un peu confus : « Mon Dieu, je n'en
suis pas encore là... — Mais vous y venez! vous
y venez! » a dit la tante, sans malice certainement, mais d'un ton si encourageant que tout le
monde s'est mis à rire, même lui.

Que sera-ce donc lorsqu'on jouera le Nouvel

Abailard, *que j'apprends qu'il prépare pour je
ne sais quel théâtre des Boulevards et dont il
paraît que les journaux parlent déjà!... Pauvre
Abel! Est-ce vraiment là le succès qu'il désire et
dont il se contentera!*

*Je lisais hier ces paroles de l'Internelle Conso-
lacion : « Qui vrayement désire la gloire vraye
et pardurable ne tient compte de la temporelle;
qui ne la mesprise en son cueur, il se monstre
vrayement qu'il n'ayme pas la célestielle », et
j'ai pensé : Merci, mon Dieu, d'avoir élu
Jérôme pour cette gloire célestielle auprès de
laquelle l'autre n'est rien.*

Les semaines, les mois s'écoulaient dans des
occupations monotones; mais, ne pouvant rac-
crocher ma pensée qu'à des souvenirs ou à des
espoirs, à peine m'apercevais-je de la lenteur du
temps, de la longueur des heures.

Mon oncle et Alissa devaient aller, en juin,
rejoindre, aux environs de Nîmes, Juliette, qui
attendait un enfant vers cette époque. Des nouvelles un peu moins bonnes les firent précipiter
leur départ.

*Ta dernière lettre, adressée au Havre, m'écri-
vit Alissa, est arrivée lorsque nous venions d'en
partir. Comment expliquer qu'elle ne m'ait
rejointe ici que huit jours après? Toute la semaine j'ai eu une âme incomplète, transie, dou-*

teuse, diminuée. O mon frère! je ne suis
vraiment moi, plus que moi, qu'avec toi...

Juliette va de nouveau bien; nous attendons
sa délivrance d'un jour à l'autre, et sans trop
d'inquiétude. Elle sait que je t'écris ce matin; le
lendemain de notre arrivée à Aigues-Vives elle
m'a demandé : « Et Jérôme, que devient-il... Il
t'écrit toujours?... » et comme je n'ai pu lui
mentir : « Quand tu lui écriras, dis-lui que... »
elle a hésité un instant, puis, en souriant très
doucement : « ... je suis guérie. » — Je craignais un peu, dans ses lettres toujours gaies,
qu'elle ne me jouât la comédie du bonheur et
qu'elle-même ne s'y laissât prendre... Ce dont
elle fait son bonheur aujourd'hui reste si différent de ce qu'elle rêvait et dont il semblait que
son bonheur dût dépendre!... Ah! que ce qu'on
appelle bonheur est chose peu étrangère à l'âme
et que les éléments qui semblent le composer
du dehors importent peu! Je t'épargne quantité
de réflexions que j'ai pu faire dans mes promenades solitaires sur la « garrigue », où ce qui
m'étonne le plus c'est de ne pas me sentir plus
joyeuse; le bonheur de Juliette devrait me
combler... pourquoi mon cœur cède-t-il à une
mélancolie incompréhensible, dont je ne parviens pas à me défendre? La beauté même de
ce pays, que je sens, que je constate du moins,
ajoute encore à mon inexplicable tristesse...
Quand tu m'écrivais d'Italie, je savais voir à travers toi toute chose; à présent il me semble que

*je te dérobe tout ce que je regarde sans toi.
Enfin, je m'étais fait, à Fongueusemare et au
Havre, une vertu de résistance à l'usage des
jours de pluie; ici cette vertu n'est plus de mise,
et je reste inquiète de la sentir sans emploi. Le
rire des gens et du pays m'offusque; peut-être
que j'appelle « être triste » simplement n'être
pas aussi bruyant qu'eux... Sans doute, auparavant, il entrait quelque orgueil dans ma joie,
car, à présent, parmi cette gaieté étrangère, c'est
quelque chose comme de l'humiliation que
j'éprouve.*

*A peine ai-je pu prier depuis que je suis ici :
j'éprouve le sentiment enfantin que Dieu n'est
plus à la même place. Adieu; je te quitte bien
vite; j'ai honte de ce blasphème, de ma faiblesse,
de ma tristesse, et de l'avouer, et de t'écrire tout
ceci que je déchirerais demain, si le courrier ne
l'emportait ce soir...*

La lettre suivante ne parlait que de la naissance de sa nièce, dont elle devait être marraine, de la joie de Juliette, de celle de mon
oncle... mais de ses sentiments à elle, il n'était
plus question.

Puis ce furent des lettres datées de Fongueusemare de nouveau, où Juliette vint la rejoindre
en juillet...

*Edouard et Juliette nous ont quittés ce matin.
C'est ma petite filleule surtout que je regrette;*

quand je la reverrai, dans six mois, je ne reconnaîtrai plus tous ses gestes; elle n'en avait encore presque pas un que je ne lui eusse vu inventer. Les formations sont toujours si mystérieuses et surprenantes! c'est par défaut d'attention que nous ne nous étonnons pas plus souvent. Que d'heures j'ai passées, penchée sur ce petit berceau plein d'espérance. Par quel égoïsme, quelle suffisance, quelle inappétence du mieux, le développement s'arrête-t-il si vite, et toute créature se fixe-t-elle encore si distante de Dieu? Oh! si pourtant nous pouvions, nous voulions nous rapprocher de Lui davantage... quelle émulation ce serait!

Juliette paraît très heureuse. Je m'attristais d'abord de la voir renoncer au piano et à la lecture; mais Edouard Teissières n'aime pas la musique et n'a pas grand goût pour les livres; sans doute Juliette agit-elle sagement en ne cherchant pas ses joies où lui ne pourrait pas la suivre. Par contre, elle prend intérêt aux occupations de son mari, qui la tient au courant de toutes ses affaires. Elles ont pris beaucoup d'extension cette année; il s'amuse à dire que c'est à cause de son mariage qui lui a valu une importante clientèle au Havre. Robert l'a accompagné dans son dernier voyage d'affaires; Edouard est plein d'attention pour lui, prétend comprendre son caractère et ne désespère pas de le voir prendre sérieusement goût à ce genre de travail.

Père va beaucoup mieux; de voir sa fille heu-
reuse le rajeunit; il s'intéresse de nouveau à la
ferme, au jardin, et tantôt m'a demandé de
reprendre la lecture à voix haute que nous
avions commencée avec Miss Ashburton et que
le séjour des Tessières avait interrompue; ce sont
les voyages du baron de Hübner que je leur lis
ainsi; moi-même j'y prends grand plaisir. Je vais
maintenant avoir plus de temps pour lire aussi
de mon côté; mais j'attends de toi quelques
indications; j'ai, ce matin, pris l'un après l'autre
plusieurs livres sans me sentir de goût pour un
seul!...

Les lettres d'Alissa devinrent à partir de ce
moment, plus troubles et plus pressantes :

La crainte de t'inquiéter ne me laisse pas te
dire combien je t'attends, m'écrivait-elle vers la
fin de l'été. Chaque jour à passer avant de te
revoir pèse sur moi, m'oppresse. Deux mois
encore! Cela me paraît plus long que tout le
temps déjà passé loin de toi! Tout ce que j'en-
treprends pour tâcher de tromper mon attente
me paraît dérisoirement provisoire et je ne puis
m'astreindre à rien. Les livres sont sans vertu,
sans charme, les promenades sans attrait, la
nature entière sans prestige, le jardin décoloré,
sans parfums. J'envie tes corvées, ces exercices
obligatoires et non choisis par toi, qui t'ar-
rachent sans cesse à toi-même, te fatiguent,

dépêchent tes journées, et, le soir, te précipitent, plein de fatigue, dans le sommeil. L'émouvante description que tu m'as faite des manœuvres m'a hantée. Ces dernières nuits où je dormais mal, plusieurs fois je me suis réveillée en sursaut à l'appel de la diane; positivement, je l'entendais. J'imagine si bien cette sorte d'ivresse légère dont tu parles, cette allégresse matinale, ce demi-vertige... Dans l'éblouissement glacé de l'aube, que ce plateau de Malzéville devait être beau!...

Je vais un peu moins bien depuis quelque temps; oh! rien de grave. Je crois que je t'attends un peu trop fort, simplement.

Et six semaines plus tard :

Voici ma dernière lettre, mon ami. Si peu fixé que tu sois encore sur la date de ton retour, elle ne peut beaucoup tarder; je ne pourrais plus rien t'écrire. C'est à Fongueusemare que j'aurais désiré te revoir, mais la saison est devenue mauvaise, il fait très froid et père ne parle plus que de rentrer en ville. A présent que Juliette ni Robert ne sont plus avec nous, nous pourrions aisément te loger, mais il vaut mieux que tu descendes chez tante Félicie, qui sera heureuse elle aussi de te recevoir.

A mesure que le jour de notre revoir se rapproche, mon attente devient plus anxieuse; c'est presque de l'appréhension; ta venue tant souhai-

*tée, il me semble, à présent, que je la redoute;
je m'efforce de n'y plus penser; j'imagine ton
coup de sonnette, ton pas dans l'escalier, et mon
cœur cesse de battre ou me fait mal... Surtout
ne t'attends pas à ce que je puisse te parler... Je
sens s'achever là mon passé; au-delà je ne vois
rien; ma vie s'arrête...*

Quatre jours après, c'est-à-dire une semaine
avant ma libération, je reçus pourtant encore
une lettre très brève :

*Mon ami, je t'approuve entièrement de ne
pas chercher à prolonger outre mesure ton
séjour au Havre et le temps de notre premier
revoir. Qu'aurions-nous à nous dire que nous ne
nous soyons déjà écrit? Si donc des inscriptions
à prendre te rappellent à Paris dès le 28, n'hésite pas, ne regrette même pas de ne pouvoir
nous donner plus de deux jours. N'aurons-nous
pas toute la vie?*

VI

C'est chez tante Plantier qu'eut lieu notre première rencontre. Je me sentais soudain alourdi,
épaissi par mon service... J'ai pu penser ensuite
qu'elle m'avait trouvé changé. Mais que devait
importer entre nous cette première impression
mensongère? — Pour moi, craignant de ne plus
parfaitement la reconnaître, j'osais d'abord à
peine la regarder... Non; ce qui nous déconte-
nança plutôt, c'était ce rôle absurde de fiancés
qu'on nous contraignait d'assumer, cet empressement de chacun à nous laisser seuls, à se retirer devant nous :

« Mais, tante, tu ne nous gênes nullement :
nous n'avons rien de secret à nous dire, s'écriait
enfin Alissa devant les indiscrets efforts de cette
femme pour s'effacer.

— Mais si! mais si, mes enfants! Je vous
comprends très bien; quand on est resté longtemps sans se revoir, on a des tas de petites
choses à se raconter...

— Je t'en prie, tante; tu nous désobligerais

beaucoup en partant — et cela était dit d'un ton presque irrité où je reconnaissais à peine la voix d'Alissa.

— Tante, je vous assure que nous ne nous dirons plus un seul mot si vous partez! » ajoutai-je en riant, mais envahi moi-même d'une certaine appréhension à l'idée de nous trouver seuls. Et la conversation reprenait entre nous trois, faussement enjouée, banale, fouettée par cette animation de commande derrière laquelle chacun de nous cachait son trouble. Nous devions nous retrouver le lendemain, mon oncle m'ayant invité à déjeuner, de sorte que nous nous quittâmes sans peine ce premier soir, heureux de mettre fin à cette comédie.

J'arrivai bien avant l'heure du repas, mais trouvai Alissa causant avec une amie qu'elle n'eut pas la force de congédier et qui n'eut pas la discrétion de partir. Quand enfin elle nous eut laissés seuls, je feignis de m'étonner qu'Alissa ne l'eût pas retenue à déjeuner. Nous étions énervés tous deux, fatigués par une nuit sans sommeil. Mon oncle vint. Alissa sentit que je le trouvais vieilli. Il était devenu dur d'oreille, entendait mal ma voix; l'obligation de crier pour me faire comprendre abrutissait mes propos.

Après le déjeuner, la tante Plantier, ainsi qu'il avait été convenu, vint nous prendre dans sa voiture; elle nous emmenait à Orcher, avec l'intention de nous laisser, Alissa et moi, faire

à pied, au retour, la plus agréable partie de la
route.

Il faisait chaud pour la saison. La partie de
la côte où nous marchions était exposée au
soleil et sans charme; les arbres dépouillés ne
nous étaient d'aucun abri. Talonnés par le
souci de rejoindre la voiture où nous attendait
la tante, nous activions incommodément notre
pas. De mon front que barrait la migraine je
n'extrayais pas une idée; par contenance, ou
parce que ce geste pouvait tenir lieu de paroles,
j'avais pris, tout en marchant, la main qu'Alissa
m'abandonnait. L'émotion, l'essoufflement de
la marche, et le malaise de notre silence nous
chassaient le sang au visage; j'entendais battre
mes tempes; Alissa était déplaisamment colorée;
et bientôt la gêne de sentir accrochées l'une à
l'autre nos mains moites nous les fit laisser se
dépendre et retomber chacune tristement.

Nous nous étions trop hâtés et arrivâmes au
carrefour bien avant la voiture que, par une
autre route et pour nous laisser le temps de
causer, la tante faisait avancer très lentement.
Nous nous assîmes sur le talus; le vent froid qui
soudain s'éleva nous transit, car nous étions en
nage; alors nous nous levâmes pour aller à la
rencontre de la voiture... Mais le pire fut encore
la pressante sollicitude de la pauvre tante,
convaincue que nous avions abondamment
parlé, prête à nous questionner sur nos fiançailles. Alissa, n'y pouvant tenir et dont les yeux

s'emplissaient de larmes, prétexta un violent mal de tête. Le retour s'acheva silencieusement.

Le jour suivant, je me réveillai courbaturé, grippé, si souffrant que je ne me décidai qu'après midi à retourner chez les Bucolin. Par malchance, Alissa n'était pas seule. Madeleine Plantier, une des petites filles de notre tante Félicie, était là — avec qui je savais qu'Alissa prenait souvent plaisir à causer. Elle habitait pour quelques jours chez sa grand-mère et s'écria lorsque j'entrai :

« Si tu retournes à la Côte en sortant d'ici, nous pourrons y monter ensemble. »

Machinalement j'acquiesçai; de sorte que je ne pus voir Alissa seule. Mais la présence de cette enfant aimable nous servit sans doute; je ne retrouvai pas la gêne intolérable de la veille; la conversation s'établit bientôt aisément entre nous trois et beaucoup moins futile que je ne l'aurais d'abord pu craindre. Alissa sourit étrangement lorsque je lui dis adieu; il me parut qu'elle n'avait pas compris jusqu'alors que je partais le lendemain. Du reste, la perspective d'un très prochain revoir enlevait à mon adieu ce qu'il eût pu avoir de tragique.

Pourtant, après dîner, poussé par une vague inquiétude, je redescendis en ville, où j'errai près d'une heure avant de me décider à sonner de nouveau chez les Bucolin. Ce fut mon oncle qui me reçut. Alissa, se sentant souffrante, était déjà montée dans sa chambre et sans doute

s'était aussitôt couchée. Je causai quelques
instants avec mon oncle, puis repartis...

Si fâcheux que fussent ces contretemps, en
vain les accuserais-je. Quand bien même tout
nous eût secondés, nous eussions inventé notre
gêne. Mais qu'Alissa, elle aussi, le sentît, rien
ne pouvait me désoler davantage. Voici la lettre
que, sitôt de retour à Paris, je reçus :

Mon ami, quel triste revoir! tu semblais dire
que la faute en était aux autres, mais tu n'as pu
t'en persuader toi-même. Et maintenant je crois,
je sais qu'il en sera toujours ainsi. Ah! je t'en
prie, ne nous revoyons plus!

Pourquoi cette gêne, ce sentiment de fausse
position, cette paralysie, ce mutisme, quand
nous avons tout à nous dire? Le premier jour de
ton retour j'étais heureuse de ce silence même,
parce que je croyais qu'il se dissiperait, que tu
me dirais des choses merveilleuses; tu ne pou-
vais partir auparavant.

Mais quand j'ai vu s'achever silencieuse notre
lugubre promenade à Orcher et surtout quand
nos mains se sont déprises l'une de l'autre et
sont retombées sans espoir, j'ai cru que mon
cœur défaillait de détresse et de peine. Et ce
qui me désolait le plus ce n'était pas que ta
main eût lâché la mienne, mais de sentir que,
si elle ne l'eût point fait, la mienne eût com-
mencé — puisque non plus elle ne se plaisait
plus dans la tienne.

*Le lendemain — c'était hier — je t'ai folle-
ment attendu toute la matinée. Trop inquiète
pour demeurer à la maison, j'avais laissé un mot
qui t'indiquât où me rejoindre, sur la jetée.
Longtemps j'étais restée à regarder la mer hou-
leuse, mais je souffrais trop de regarder sans toi;
je suis rentrée, m'imaginant soudain que tu
m'attendais dans ma chambre. Je savais que
l'après-midi je ne serais pas libre; Madeleine,
la veille, m'avait annoncé sa visite et comme je
comptais te voir le matin, je l'avais laissée venir.
Mais peut-être n'est-ce qu'à sa présence que
nous devons les seuls bons moments de ce revoir.
J'eus l'étrange illusion, quelques instants, que
cette conversation aisée allait durer longtemps,
longtemps... Et quand tu t'es approché du
canapé où j'étais assise avec elle et que, te penchant vers moi, tu m'as dit adieu, je n'ai pu te
répondre; il m'a semblé que tout finissait :
brusquement, je venais de comprendre que tu
partais.*

*Tu n'étais pas plus tôt sorti avec Madeleine
que cela m'a paru impossible, intolérable.
Sais-tu que je suis ressortie! je voulais te parler
encore, te dire enfin tout ce que je ne t'avais
point dit; déjà je courais chez les Plantier... il
était tard; je n'ai pas eu le temps, pas osé... Je
suis rentrée, désespérée, t'écrire... que je ne voulais plus t'écrire... une lettre d'adieu... parce
qu'enfin je sentais trop que notre correspondance tout entière n'était qu'un grand mirage,*

*que chacun de nous n'écrivait hélas! qu'à soi-
même et que... Jérôme! Jérôme! ah! que nous
restions toujours éloignés!*

*J'ai déchiré cette lettre, il est vrai; mais je te
la récris à présent, presque la même. Oh! je ne
t'aime pas moins, mon ami! au contraire je n'ai
jamais si bien senti, à mon trouble même, à ma
gêne dès que tu t'approchais de moi, combien
profondément je t'aimais; mais désespérément,
vois-tu, car, il faut bien me l'avouer : de loin je
t'aimais davantage. Déjà je m'en doutais, hélas!
Cette rencontre tant souhaitée achève de m'en
instruire, et c'est de quoi, toi aussi, mon ami,
il importe de te convaincre. Adieu, mon frère
tant aimé; que Dieu te garde et te dirige : de
Lui seul on peut impunément se rapprocher.*

Et comme si cette lettre m'était pas déjà suffisamment douloureuse, elle y avait, le lendemain, ajouté ce post-scriptum :

*Je ne voudrais pas laisser partir cette lettre
sans te demander un peu plus de discrétion en
ce qui nous concerne tous deux. Maintes fois tu
m'as blessée en entretenant Juliette ou Abel de
ce qui eût dû rester entre toi et moi, et c'est
bien là ce qui, longtemps avant que tu t'en
doutes, m'a fait penser que ton amour était surtout un amour de tête, un bel entêtement intel-
lectuel de tendresse et de fidélité.*

La crainte que je ne montre cette lettre à
Abel indubitablement en avait dicté les dernières lignes. Quelle défiante perspicacité l'avait
donc mise en garde? Avait-elle surpris naguère
dans mes paroles quelque reflet des conseils de
mon ami?...

Je me sentais bien distant de lui désormais!
Nous suivions deux voies divergentes; et cette
recommandation était bien superflue pour m'apprendre à porter seul le tourmentant fardeau de
mon chagrin.

Les trois jours suivants furent uniquement
occupés par ma plainte; je voulais répondre à
Alissa; je craignais, par une discussion trop po-
sée, par une protestation trop véhémente, par
le moindre mot maladroit, d'aviver incurable-
ment notre blessure; vingt fois je recommençai
la lettre où se débattait mon amour. Je ne puis
relire aujourd'hui sans pleurer ce papier lavé
de larmes, double de celui qu'enfin je me décidai à envoyer :

*Alissa! aie pitié de moi, de nous deux!... Ta
lettre me fait mal. Que j'aimerais pouvoir sourire à tes craintes! Oui, je sentais tout ce que tu
m'écris; mais je craignais de me le dire. Quelle
affreuse réalité tu donnes à ce qui n'est qu'imaginaire et comme tu l'épaissis entre nous!*

*Si tu sens que tu m'aimes moins... Ah! loin de
moi cette supposition cruelle que toute ta lettre
dément! Mais alors qu'importent tes appréhen-*

*sions passagères? Alissa! dès que je veux raison-
ner, ma phrase se glace; je n'entends plus que
le gémissement de mon cœur. Je t'aime trop
pour être habile, et plus je t'aime, moins
je sais te parler. « Amour de tête »... que veux-tu
que je réponde à cela? Quand c'est de mon âme
entière que je t'aime, comment saurais-je distinguer entre mon intelligence et mon cœur? Mais
puisque notre correspondance est cause de ton
imputation offensante, puisque, soulevés par
elle, la chute dans la réalité ensuite nous a si
durement meurtris, puisque tu croirais à présent, si tu m'écris, n'écrire plus qu'à toi-même,
puisque aussi, pour endurer une nouvelle lettre
pareille à cette dernière, je suis sans force : je
t'en prie, arrêtons pour un temps toute correspondance entre nous.*

Dans la suite de ma lettre, protestant contre
son jugement, j'interjetais appel, la suppliais de
nous faire crédit d'une nouvelle entrevue. Celle-
ci avait eu tout contre elle : décor, comparses,
saison — et jusqu'à notre correspondance exaltée
qui nous y avait si peu prudemment préparés.
Le silence seul précéderait cette fois notre rencontre. Je la souhaitais au printemps, à Fongueusemare, où je pensais que plaiderait en ma
faveur le passé, et où mon oncle voudrait bien
me recevoir, pendant les vacances de Pâques,
autant de jours ou aussi peu qu'elle-même le
jugerait bon.

Ma résolution était bien arrêtée, et, sitôt ma lettre partie, je pus me plonger dans le travail.

*

Je devais revoir Alissa dès avant la fin de l'année. Miss Ashburton, dont la santé depuis quelques mois déclinait, mourut quatre jours avant Noël. Depuis mon retour du service, j'habitais avec elle de nouveau; je ne la quittais guère, et pus assister à ses derniers instants. Une carte d'Alissa me témoigna qu'elle prenait à cœur notre vœu de silence plus encore que mon deuil : elle viendrait entre deux trains, seulement pour l'inhumation, à laquelle mon oncle ne pourrait assister.

Nous fûmes presque seuls, elle et moi, à la funèbre cérémonie, puis à suivre la bière; marchant à côté l'un de l'autre, à peine échangeâmes-nous quelques phrases; mais, à l'église, où elle s'était assise auprès de moi, je sentis à plusieurs reprises son regard se poser sur moi tendrement.

« C'est bien convenu, me dit-elle, sur le moment de me quitter : rien avant Pâques.

— Oui, mais à Pâques...

— Je t'attends. »

Nous étions à la porte du cimetière. Je proposai de la reconduire à la gare; mais elle fit signe à une voiture et sans un mot d'adieu me laissa.

VII

« ALISSA t'attend dans le jardin », me dit mon oncle, après m'avoir embrassé paternellement lorsque, à la fin d'avril, j'arrivai à Fongueuse-mare. Si d'abord je fus déçu de ne pas la trou-ver prompte à m'accueillir, tout aussitôt après je lui sus gré de nous épargner à tous deux l'ef-fusion banale des premiers instants du revoir.

Elle était au fond du jardin. Je m'acheminai vers ce rond-point, étroitement entouré de buis-sons, à cette époque de l'année tout en fleurs, lilas, sorbiers, cytises, weigelias; pour ne point l'apercevoir de trop loin, ou pour qu'elle ne me vît pas venir, je suivis, de l'autre côté du jardin, l'allée sombre où l'air était frais sous les branches. J'avançais lentement; le ciel était comme ma joie, chaud, brillant, délicatement pur. Sans doute elle m'attendait venir par l'autre allée; je fus près d'elle, derrière elle, sans qu'elle m'eût entendu approcher; je m'arrêtai... Et comme si le temps eût pu s'arrêter avec moi : voici l'instant, pensai-je, l'instant le plus déli-

cieux peut-être, quand il précéderait le bonheur
même, et que le bonheur même ne vaudra pas...

Je voulais tomber à genoux devant elle; je
fis un pas, qu'elle entendit. Elle se dressa soudain, laissant rouler à terre la broderie qui
l'occupait, tendit les bras vers moi, posa ses
mains sur mes épaules. Quelques instants nous
demeurâmes ainsi, elle, les bras tendus, la tête
souriante et penchée, me regardant tendrement
sans rien dire. Elle était vêtue toute en blanc.
Sur son visage presque trop grave, je retrouvais
son sourire d'enfant...

« Ecoute, Alissa, m'écriai-je tout d'un coup :
j'ai douze jours libres devant moi. Je n'en res-
terai pas un de plus qu'il ne te plaira. Conve-
nons d'un signe qui voudra dire : c'est demain
qu'il faut quitter Fongueusemare. Le lendemain, sans récriminations, sans plaintes, je parti-
rai. Consens-tu? »

N'ayant point préparé mes phrases, je parlais
plus aisément. Elle réfléchit un moment, puis :

« Le soir où, descendant pour dîner, je ne
porterai pas à mon cou la croix d'améthyste que
tu aimes... comprendras-tu?

— Que ce sera mon dernier soir.

— Mais sauras-tu partir, reprit-elle, sans
larmes, sans soupirs...

— Sans adieux. Je te quitterai ce dernier soir
comme je l'aurais fait la veille, si simplement
que tu te demanderas d'abord : n'aurait-il pas
compris? mais quand tu me chercheras, le len-

demain matin, simplement je ne serai plus là.

— Le lendemain je ne te chercherai plus. »

Elle me tendit la main; comme je la portais à mes lèvres :

« D'ici le soir fatal, dis-je encore, pas une allusion qui me fasse rien pressentir.

— Toi, pas une allusion à la séparation qui suivra. »

Il fallait à présent rompre la gêne que la solennité de ce revoir risquait d'élever entre nous.

« Je voudrais tant, repris-je, que ces quelques jours près de toi nous paraissent pareils à d'autres jours... Je veux dire : ne pas sentir, tous deux, qu'ils sont exceptionnels. Et puis... si nous pouvions ne pas trop chercher à causer d'abord... »

Elle se mit à rire. J'ajoutai :

« N'y a-t-il rien à quoi nous puissions nous occuper ensemble? »

De tout temps nous avions pris plaisir au jardinage. Un jardinier sans expérience remplaçait l'ancien depuis peu, et le jardin, abandonné durant deux mois, offrait beaucoup à faire. Des rosiers étaient mal taillés; certains, à végétation puissante, restaient encombrés de bois mort; d'autres, grimpants, croulaient, mal soutenus; des gourmands en épuisaient d'autres. La plupart avaient été greffés par nous; nous reconnaissions nos élèves; les soins qu'ils réclamaient nous occupèrent longuement et nous permirent,

les trois premiers jours, de beaucoup parler sans
rien dire de grave, et, lorsque nous nous tai-
sions, de ne point sentir peser le silence.

C'est ainsi que nous reprîmes l'habitude l'un
de l'autre. Je comptais sur cette accoutumance
plus que sur n'importe quelle explication. Le
souvenir même de notre séparation déjà s'ef-
façait entre nous, et déjà diminuaient cette
crainte que souvent je sentais en elle, cette
contraction de l'âme qu'elle craignait en moi.
Alissa, plus jeune qu'à ma triste visite d'automne, ne m'avait jamais paru plus jolie. Je ne
l'avais pas encore embrassée. Chaque soir je
revoyais sur son corsage, retenue par une chaî-
nette d'or, la petite croix d'améthyste briller. En
confiance, l'espoir renaissait dans mon cœur; que
dis-je : espoir? c'était déjà de l'assurance, et que
j'imaginais sentir également chez Alissa; car je
doutais si peu de moi que je ne pouvais plus
douter d'elle. Peu à peu nos propos s'enhar-
dirent.

« Alissa, lui dis-je un matin que l'air charmant riait et que notre cœur s'ouvrait comme
les fleurs, — à présent que Juliette est heureuse,
ne nous laisseras-tu pas, nous aussi... »

Je parlais lentement, les yeux sur elle; elle
devint soudain pâle si extraordinairement que
je ne pus achever ma phrase.

« Mon ami! commença-t-elle, et sans tourner
vers moi son regard — je me sens plus heureuse
auprès de toi que je n'aurais cru qu'on pût

l'être... mais crois-moi : nous ne sommes pas nés
pour le bonheur.

— Que peut préférer l'âme au bonheur? »
m'écriai-je impétueusement. Elle murmura :

« La sainteté... » si bas que, ce mot, je le devi-
nai plutôt que je ne pus l'entendre.

Tout mon bonheur ouvrait les ailes, s'échappait de moi vers les cieux.

« Je n'y parviendrai pas sans toi », dis-je, et
le front dans ses genoux, pleurant comme un
enfant, mais d'amour et non point de tristesse,
je repris : « Pas sans toi; pas sans toi! »

Puis ce jour s'écoula comme les autres jours.
Mais au soir, Alissa parut sans le petit bijou
d'améthyste. Fidèle à ma promesse, le lendemain, dès l'aube, je partis.

Je reçus le surlendemain l'étrange lettre que
voici, portant en guise d'épigraphe ces quelques
vers de Shakespeare :

That strain again, — it had a dying fall :
O, it came o'er my ear like the sweet south,
That breathes upon a bank of violets,
Stealing and giving odour. — Enough; no more,
'Tis not so sweet now as it was before...

*Oui! malgré moi je t'ai cherché tout le matin,
mon frère. Je ne pouvais te croire parti. Je t'en
voulais d'avoir tenu notre promesse. Je pensais :
c'est un jeu. Derrière chaque buisson, j'allais te*

voir apparaître. — Mais non! ton départ est réel.
Merci.

J'ai passé le reste du jour obsédé par la
constante présence de certaines pensées, que je
voudrais te communiquer — et la crainte bizarre,
précise, que, si je ne les communiquais pas, j'au-
rais plus tard le sentiment d'avoir manqué
envers toi, mérité ton reproche...

Je m'étonnai, aux premières heures de ton
séjour à Fongueusemare, je m'inquiétai vite
ensuite de cet étrange contentement de tout mon
être que j'éprouvais près de toi; « un contente-
ment tel, me disais-tu, que je ne souhaite rien
au-delà! » Hélas! c'est cela même qui m'in-
quiète...

Je crains, mon ami, de me faire mal com-
prendre. Je crains surtout que tu ne voies un
raisonnement subtil (oh! combien il serait mala-
droit) dans ce qui n'est que l'expression du plus
violent sentiment de mon âme.

« S'il ne suffisait pas, ce ne serait pas le bon-
heur » — m'avais-tu dit, t'en souviens-tu? Et je
n'avais su que répondre. — Non, Jérôme, il ne
nous suffit pas. Jérôme, il ne doit pas nous suf-
fire. Ce contentement plein de délices, je ne
puis le tenir pour véritable. N'avons-nous pas
compris cet automne quelle détresse il recou-
vrait?...

Véritable! ah! Dieu nous garde qu'il le soit!
nous sommes nés pour un autre bonheur...

Ainsi que notre correspondance naguère gâta

notre revoir de l'automne, le souvenir de ta présence d'hier désenchante ma lettre aujourd'hui. Qu'est devenu ce ravissement que j'éprouvais à t'écrire? Par les lettres, par la présence, nous avons épuisé tout le pur de la joie à laquelle notre amour peut prétendre. Et maintenant, malgré moi, je m'écrie comme Orsino du Soir des Rois : « Assez! pas davantage! Ce n'est plus aussi suave que tout à l'heure. »

Adieu, mon ami. Hic incipit amor Dei. Ah! sauras-tu jamais combien je t'aime?... Jusqu'à la fin je serai ton

ALISSA.

Contre le piège de la vertu, je restais sans défense. Tout héroïsme, en m'éblouissant, m'attirait — car je ne le séparais pas de l'amour... La lettre d'Alissa m'enivra du plus téméraire enthousiasme. Dieu sait que je ne m'efforçais vers plus de vertu, que pour elle. Tout sentier, pourvu qu'il montât, me mènerait où la rejoindre. Ah! le terrain ne se rétrécirait jamais trop vite, pour ne supporter plus que nous deux! Hélas! je ne soupçonnais pas la subtilité de sa feinte, et j'imaginais mal que ce fût par une cime qu'elle pourrait de nouveau m'échapper.

Je lui répondis longuement. Je me souviens du seul passage à peu près clairvoyant de ma lettre.

« Il me paraît souvent, lui disais-je, que mon amour est ce que je garde en moi de meilleur;

que toutes mes vertus s'y suspendent; qu'il
m'élève au-dessus de moi, et que sans toi je
retomberais à cette médiocre hauteur d'un naturel très ordinaire. C'est par l'espoir de te
rejoindre que le sentier le plus ardu m'appa-
raîtra toujours le meilleur. »

Qu'ajoutai-je qui pût la pousser à me répondre
ceci :

*Mais, mon ami, la sainteté n'est pas un choix :
c'est une obligation* (le mot était souligné trois
fois dans sa lettre). *Si tu es celui que j'ai cru, toi
non plus tu ne pourras pas t'y soustraire.*

C'était tout. Je compris, pressentis plutôt, que
là s'arrêterait notre correspondance, et que le
conseil le plus retors, non plus que la volonté
la plus tenace, n'y pourrait rien.

Je récrivis pourtant, longuement, tendrement.
Après ma troisième lettre, je reçus ce billet :

Mon ami,

*Ne crois point que j'aie pris quelque résolu-
tion de ne plus t'écrire; simplement je n'y ai
plus de goût. Tes lettres cependant m'amusent
encore, mais je me reproche de plus en plus d'occuper à ce point ta pensée.*

*L'été n'est plus loin. Renonçons pour un
temps à correspondre et viens passer à Fongueusemare les quinze derniers jours de septembre*

*près de moi. Acceptes-tu? Si oui, je n'ai pas
besoin de réponse. Je prendrai ton silence pour
un assentiment et souhaite donc que tu ne me
répondes pas.*

Je ne répondis pas. Sans doute ce silence
n'était qu'une épreuve dernière à laquelle elle
me soumettait. Quand, après quelques mois de
travail, puis quelques semaines de voyage, je
revins à Fongueusemare, ce fut avec la plus tranquille assurance.

Comment, par un simple récit, amènerais-je
à comprendre aussitôt ce que je m'expliquai
d'abord si mal? Que puis-je peindre ici que l'occasion de la détresse à laquelle je cédai dès lors
tout entier? Car si je ne trouve aujourd'hui nul
pardon en moi pour moi-même de n'avoir su
sentir, sous le revêtement de la plus factice
apparence, palpiter encore l'amour, je ne pus
voir que cette apparence d'abord et, ne retrouvant plus mon amie, l'accusai.... Non, même
alors je ne vous accusai pas, Alissa! mais pleurai
désespérément de ne plus vous reconnaître. A
présent que je mesure la force de votre amour
à la ruse de son silence et à sa cruelle industrie,
dois-je vous aimer d'autant plus que vous m'aurez plus atrocement désolé?...

Dédain? Froideur? Non; rien qui se pût
vaincre; rien contre quoi je pusse même lutter;
et parfois j'hésitais, doutais si je n'inventais pas

ma misère, tant la cause en restait subtile et tant
Alissa se montrait habile à feindre de ne la comprendre pas. De quoi donc me fussé-je plaint?
Son accueil fut plus souriant que jamais; jamais
elle ne s'était montrée plus empressée, plus pré-
venante; le premier jour je m'y laissai presque
tromper... Qu'importait, après tout, qu'une nouvelle façon de coiffure, plate et tirée, durcît les
traits de son visage comme pour en fausser l'expression; qu'un malséant corsage, de couleur
morne, d'étoffe laide au toucher, gauchît le
rythme délicat de son corps... ce n'était rien à
quoi elle ne pût porter remède, et dès le lendemain, pensai-je aveuglément, d'elle-même ou sur
ma requête... Je m'affectai davantage de ces pré-
venances, de cet empressement, si peu coutu-
miers entre nous, et où je craignais de voir plus
de résolution que d'élan, et j'ose à peine dire :
plus de politesse que d'amour.

Le soir, entrant dans le salon, je m'étonnai de
ne plus retrouver le piano à sa place accoutu-
mée; à mon exclamation désappointée :

« Le piano est à regarnir, mon ami, répondit
Alissa, et de sa voix la plus tranquille.

— Je te l'ai pourtant répété, mon enfant, dit
mon oncle sur un ton de reproche presque
sévère : puisqu'il t'avait suffi jusqu'à présent,
tu aurais pu attendre le départ de Jérôme pour
l'expédier; ta hâte nous prive d'un grand plaisir...

— Mais, père, dit-elle en se détournant pour

rougir, je t'assure que, ces derniers temps, il
était devenu si creux que Jérôme lui-même n'aurait pu rien en tirer.

— Quand tu en jouais, reprit mon oncle, il
ne paraissait pas si mauvais. »

Elle resta quelques instants, penchée vers
l'ombre, comme occupée à relever les mesures
d'une housse de fauteuil, puis quitta brusquement la pièce et ne reparut que plus tard, appor-
tant sur un plateau la tisane que mon oncle
avait accoutumé de prendre chaque soir.

Le lendemain elle ne changea ni de coiffure,
ni de corsage; assise près de son père sur un
banc devant la maison, elle reprit l'ouvrage de
couture, de rapiéçage plutôt qui l'avait occupée
déjà dans la soirée. A côté d'elle, sur le banc
ou sur la table, elle puisait dans un grand panier
plein de bas et de chaussettes usés. Quelques
jours après, ce furent des serviettes et des draps...
Ce travail l'absorbait complètement, semblait-il,
au point que ses lèvres en perdissent toute
expression et ses yeux toute lueur.

« Alissa! » m'écriai-je le premier soir, presque
épouvanté par la dépoétisation de ce visage qu'à
peine pouvais-je reconnaître et que je fixais
depuis quelques instants sans qu'elle parût sentir mon regard.

« Quoi donc? fit-elle en levant la tête.

— Je voulais voir si tu m'entendrais. Ta pensée semblait si loin de moi.

— Non, je suis là; mais ces reprises demandent beaucoup d'attention.

— Pendant que tu couds, ne veux-tu pas que je te fasse la lecture?

— Je crains de ne pas pouvoir très bien écouter.

— Pourquoi choisis-tu un travail si absorbant?

— Il faut bien que quelqu'un le fasse.

— Il y a tant de pauvres femmes pour qui ce serait un gagne-pain. Ce n'est pourtant pas par économie que tu t'astreins à ce travail ingrat? »

Elle m'affirma tout aussitôt qu'aucun ouvrage ne l'amusait davantage, que depuis longtemps elle n'en avait plus fait d'autres, pour quoi sans doute elle avait perdu toute habileté... Elle souriait en parlant. Jamais sa voix n'avait été plus douce que pour ainsi me désoler. « Je ne dis là rien que de naturel, semblait exprimer son visage, pourquoi t'attristerais-tu de cela? » — Et toute la protestation de mon cœur ne montait même plus à mes lèvres, m'étouffait.

Le surlendemain, comme nous avions cueilli des roses, elle m'invita à les lui porter dans sa chambre où je n'étais pas encore entré cette année. De quel espoir aussitôt me flattai-je! Car j'en étais encore à me reprocher ma tristesse; un mot d'elle eût guéri mon cœur.

Je n'entrais jamais sans émotion dans cette chambre; je ne sais de quoi s'y formait une

sorte de paix mélodieuse où je reconnaissais
Alissa. L'ombre bleue des rideaux aux fenêtres
et autour du lit, les meubles de luisant acajou,
l'ordre, la netteté, le silence, tout racontait à
mon cœur sa pureté et sa pensive grâce.

Je m'étonnai, ce matin-là, de ne plus voir au
mur, près de son lit, deux grandes photographies
de Masaccio que j'avais rapportées d'Italie; j'allais lui demander ce qu'elles étaient devenues,
quand mon regard tomba tout auprès sur l'éta-
gère où elle rangeait ses livres de chevet. Cette
petite bibliothèque s'était lentement formée
moitié par les livres que je lui avais donnés, moitié par d'autres que nous avions lus ensemble.
Je venais de m'apercevoir que ces livres étaient
tous enlevés, remplacés uniquement par d'insi-
gnifiants petits ouvrages de piété vulgaire pour
lesquels j'espérais qu'elle n'avait que du mépris.
Levant les yeux soudain, je vis Alissa qui riait
— oui, qui riait en m'observant.

« Je te demande pardon, dit-elle aussitôt;
c'est ton visage qui m'a fait rire; il s'est si brusquement décomposé en apercevant ma bibliothèque... »

J'étais bien peu d'humeur à plaisanter.

« Non, vraiment, Alissa, est-ce là ce que tu
lis à présent?

— Mais oui. De quoi t'étonnes-tu?

— Je pensais qu'une intelligence habituée à
de substantielles nourritures ne pouvait plus
goûter à de semblables fadeurs sans nausée.

— Je ne te comprends pas, dit-elle. Ce sont
là d'humbles âmes qui causent avec moi simplement, s'exprimant de leur mieux, et dans la
société desquelles je me plais. Je sais d'avance
que nous ne céderons, ni elles à aucun piège du
beau langage, ni moi, en les lisant, à aucune
profane admiration.

— Ne lis-tu donc plus que cela?

— A peu près. Oui, depuis quelques mois.
Du reste je ne trouve plus beaucoup de temps
pour lire. Et je t'avoue que, tout récemment,
ayant voulu reprendre quelqu'un de ces grands
auteurs que tu m'avais appris à admirer, je me
suis fait l'effet de celui dont parle l'Ecriture, qui
s'efforce d'ajouter une coudée à sa taille.

— Quel est ce « grand auteur » qui t'a donné
si bizarre opinion de toi?

— Ce n'est pas lui qui me l'a donnée; mais
c'est en le lisant que je l'ai prise... C'était Pascal. J'étais peut-être tombée sur quelque moins
bon passage... »

Je fis un geste d'impatience. Elle parlait d'une
voix claire et monotone, comme elle eût récité
une leçon, ne levant plus les yeux de dessus ses
fleurs, qu'elle n'en finissait pas d'arranger. Un
instant elle s'interrompit devant mon geste, puis
continua du même ton :

« Tant de grandiloquence étonne, et tant
d'effort; et pour prouver si peu. Je me demande
parfois si son intonation pathétique n'est pas
l'effet plutôt du doute que de la foi. La foi par-

faite n'a pas tant de larmes ni de tremblement dans la voix.

— C'est ce tremblement, ce sont ces larmes qui font la beauté de cette voix » — essayai-je de repartir, mais sans courage, car je ne reconnaissais dans ces paroles rien de ce que je chérissais dans Alissa. Je les transcris telles que je m'en souviens et sans y apporter après coup art ni logique.

« S'il n'avait pas d'abord vidé la vie présente de sa joie, reprit-elle, elle pèserait plus lourd dans la balance que...

— Que quoi? fis-je, interdit par ses étranges propos.

— Que l'incertaine félicité qu'il propose.

— N'y crois-tu donc pas? m'écriai-je.

— Qu'importe! reprit-elle; je veux qu'elle demeure incertaine afin que tout soupçon de marché soit écarté. C'est par noblesse naturelle, non par espoir de récompense, que l'âme éprise de Dieu va s'enfoncer dans la vertu.

— De là ce secret scepticisme où se réfugie la noblesse d'un Pascal.

— Non scepticisme : jansénisme, dit-elle en souriant. Qu'avais-je affaire de cela? Les pauvres âmes que voici — et elle se retournait vers ses livres — seraient bien embarrassées de dire si elles sont jansénistes, quiétistes ou je ne sais quoi de différent. Elles s'inclinent devant Dieu comme des herbes qu'un vent presse, sans malice, sans trouble, sans beauté. Elles se

tiennent pour peu remarquables et savent
qu'elles ne doivent quelque valeur qu'à leur
effacement devant Dieu.

— Alissa! m'écriai-je, pourquoi t'arraches-tu
les ailes? »

Sa voix restait si calme et naturelle que mon
exclamation m'en parut d'autant plus ridicule-
ment emphatique.

Elle sourit de nouveau, en secouant la tête.

« Tout ce que j'ai retenu de cette dernière
visite à Pascal...

— Quoi donc? demandai-je, car elle s'arrê-
tait.

— C'est ce mot du Christ : « Qui veut sau-
« ver sa vie la perdra. » Pour le reste, reprit-elle
en souriant plus fort et en me regardant bien en
face, en vérité je ne l'ai presque plus compris.
Quand on a vécu quelque temps dans la société
de ces petits, c'est extraordinaire combien vite
la sublimité des grands vous essouffle. »

Dans mon désarroi n'allais-je trouver rien à
répondre?...

« S'il me fallait aujourd'hui lire avec toi tous
ces sermons, ces méditations...

— Mais, interrompit-elle, je serais désolée de
te les voir lire! Je crois en effet que tu es né
pour beaucoup mieux que cela. »

Elle parlait tout simplement et sans paraître
se douter que ces mots qui séparaient ainsi nos
deux vies pussent me déchirer le cœur. J'avais
la tête en feu; j'aurais voulu parler encore et

pleurer; peut-être eût-elle été vaincue par mes
larmes; mais je restais sans plus rien dire, les
coudes appuyés sur la cheminée et le front dans
les mains. Elle continuait tranquillement d'arranger ses fleurs, ne voyant rien de ma douleur,
ou faisant semblant de n'en rien voir...

A ce moment retentit la première cloche du
repas.

« Jamais je ne serai prête pour le déjeuner,
dit-elle. Laisse-moi vite. » Et comme s'il ne s'était
agi que d'un jeu :

« Nous reprendrons cette conversation plus
tard. »

Cette conversation ne fut pas reprise, Alissa
m'échappait sans cesse; non qu'elle parût jamais
se dérober; mais toute occupation de rencontre
s'imposait aussitôt en devoir de beaucoup plus
pressante importance. Je prenais rang; je ne
venais qu'après les soins toujours renaissants du
ménage, qu'après la surveillance des travaux
qu'on avait dû faire à la grange, qu'après les
visites aux fermiers, les visites aux pauvres dont
elle s'occupait de plus en plus. J'avais ce qui
restait de temps, bien peu; je ne la voyais jamais
qu'affairée, — mais c'est peut-être encore à travers ces menus soins et renonçant à la poursuivre
que je sentais le moins combien j'étais dépos-
sédé. La moindre conversation m'en avertissait
davantage. Quand Alissa m'accordait quelques
instants, c'était en effet pour une conversation

des plus gauches, à laquelle elle se prêtait
comme on fait au jeu d'un enfant. Elle passait
rapidement près de moi, distraite et souriante,
et je la sentais devenue plus lointaine que si
je ne l'eusse jamais connue. Même je croyais
voir parfois dans son sourire quelque défi, du
moins quelque ironie, et qu'elle prît amusement
à éluder ainsi mon désir... Puis aussitôt je retour-
nais contre moi tout grief, ne voulant pas me
laisser aller au reproche et ne sachant plus bien
ce que j'aurais attendu d'elle, ni ce que je pouvais lui reprocher.

Ainsi s'écoulèrent les jours dont je m'étais promis tant de félicité. J'en contemplais avec stupeur la fuite, mais n'en eusse voulu ni augmen-
ter le nombre ni ralentir le cours, tant chacun
aggravait ma peine. L'avant-veille de mon départ
pourtant, Alissa m'ayant accompagné au banc de
la marnière abandonnée — c'était par un clair
soir d'automne où jusqu'à l'horizon sans brume
on distinguait bleu chaque détail, dans le passé
jusqu'au plus flottant souvenir — je ne pus retenir ma plainte, montrant du deuil de quel bonheur mon malheur d'aujourd'hui se formait.

« Mais que puis-je à ceci, mon ami? dit-elle
aussitôt : tu tombes amoureux d'un fantôme.

— Non, point d'un fantôme, Alissa.

— D'une figure imaginaire.

— Hélas! je ne l'invente pas. Elle était mon
amie. Je la rappelle. Alissa! Alissa! vous étiez

celle que j'aimais. Qu'avez-vous fait de vous?
Que vous êtes-vous fait devenir? »

Elle demeura quelques instants sans répondre,
effeuillant lentement une fleur et gardant la tête
baissée. Puis enfin :

« Jérôme, pourquoi ne pas avouer tout simplement que tu m'aimes moins?

— Parce que ce n'est pas vrai! Parce que ce
n'est pas vrai! m'écriai-je avec indignation; parce
que je ne t'ai jamais plus aimée.

— Tu m'aimes... et pourtant tu me regrettes!
dit-elle en tâchant de sourire et en haussant un
peu les épaules!

— Je ne peux mettre au passé mon amour. »

Le sol cédait sous moi; et je me raccrochais à
tout...

« Il faudra bien qu'il passe avec le reste.

— Un tel amour ne passera qu'avec moi.

— Il s'affaiblira lentement. L'Alissa que tu
prétends aimer encore n'est déjà plus que dans
ton souvenir; un jour viendra où tu te souvien-
dras seulement de l'avoir aimée.

— Tu parles comme si rien la pouvait remplacer dans mon cœur, ou comme si mon cœur
devait cesser d'aimer. Ne te souviens-tu plus de
m'avoir aimé toi-même, que tu puisses ainsi te
plaire à me torturer? »

Je vis ses lèvres pâles trembler; d'une voix
presque indistincte elle murmura :

« Non; non; ceci n'a pas changé dans Alissa.

— Mais alors rien n'aurait changé », dis-je en lui saisissant le bras...

Elle reprit plus assurée :

« Un mot expliquerait tout; pourquoi n'oses-tu pas le dire?

— Lequel?

— J'ai vieilli.

— Tais-toi... »

Je protestai tout aussitôt que j'avais vieilli moi-même autant qu'elle, que la différence d'âge entre nous restait la même... mais elle s'était ressaisie; l'instant unique était passé et, me laissant aller à discuter, j'abandonnai tout avantage; je perdis pied.

Je quittai Fongueusemare deux jours après, mécontent d'elle et de moi-même, plein d'une haine vague contre ce que j'appelais encore « vertu » et de ressentiment contre l'ordinaire occupation de mon cœur. Il semblait qu'en ce dernier revoir, et par l'exagération même de mon amour, j'eusse usé toute ma ferveur; chacune des phrases d'Alissa, contre lesquelles je m'insurgeais d'abord, restait en moi vivante et triomphante après que mes protestations s'étaient tues. Eh! sans doute elle avait raison! je ne chérissais plus qu'un fantôme; l'Alissa que j'avais aimée, que j'aimais encore n'était plus... Eh! sans doute nous avions vieilli! cette dépoétisation affreuse, devant quoi tout mon cœur se glaçait, n'était rien, après tout, que le retour au naturel; lentement si je l'avais surélevée, si je m'étais formé d'elle une idole, l'ornant de tout ce dont j'étais épris, que restait-il de mon travail, que ma fatigue?... Sitôt abandonnée à elle-même, Alissa était revenue à son niveau, médiocre niveau, où je me retrouvais moi-même, mais où je ne la désirais plus. Ah! combien cet effort épuisant de vertu m'apparaissait absurde et chimérique, pour la rejoindre à ces hauteurs où mon unique effort l'avait placée. Un peu moins orgueilleux, notre amour eût été facile... mais que signifiait désormais l'obstination dans un amour sans objet; c'était être entêté, ce n'était plus être fidèle. Fidèle à quoi? — à une erreur. Le plus sage n'était-il pas de m'avouer que je m'étais trompé?...

Proposé cependant pour l'Ecole d'Athènes, j'acceptai d'y entrer aussitôt, sans ambition, sans goût, mais souriant à l'idée de départ comme à celle d'une évasion.

VIII

Pourtant je revis encore Alissa... Ce fut trois
ans plus tard, vers la fin de l'été. Dix mois auparavant, j'avais appris par elle la mort de mon
oncle. Une assez longue lettre que je lui écrivis
aussitôt de Palestine, où je voyageais alors, était
demeurée sans réponse...

J'oublie sous quel prétexte, me trouvant au
Havre, par un acheminement naturel, je gagnai
Fongueusemare. Je savais y trouver Alissa, mais
craignais qu'elle n'y fût point seule. Je n'avais
pas annoncé ma venue; répugnant à l'idée de
me présenter comme une visite ordinaire, j'avançais incertain : entrerais-je? ou ne repartirais-je
pas plutôt sans l'avoir vue, sans avoir cherché
à la voir?... Oui sans doute; je me promènerais
seulement dans l'avenue, m'assiérais sur le banc
où peut-être elle venait s'asseoir encore... et je
cherchais déjà quel signe je pourrais laisser après
moi qui l'instruirait de mon passage, après que
je serais reparti... Ainsi songeant, je marchais à

pas lents et, depuis que j'avais résolu de ne pas
la voir, la tristesse un peu âpre qui m'étreignait
le cœur cédait à une mélancolie presque douce.
J'avais atteint déjà l'avenue, et, par crainte
d'être surpris, je marchais sur un des bas-côtés,
longeant le talus qui limitait la cour de la ferme.
Je connaissais un point du talus d'où le regard
pouvait plonger dans le jardin; là je montai;
un jardinier que je ne reconnus pas ratissait une
allée et bientôt s'écarta de ma vue. Une barrière
neuve fermait la cour. Le chien en m'entendant
passer aboya. Plus loin, où l'avenue finissait, je
tournai à droite, retrouvant le mur du jardin,
et j'allais gagner cette partie de la hêtraie paral-
lèle à l'avenue quittée lorsque, passant devant la
petite porte du potager, l'idée brusque d'entrer
par là dans le jardin me saisit.

La porte était close. Le verrou intérieur n'op-
posait toutefois qu'une résistance assez faible et
que d'un coup d'épaule j'allais briser... A cet
instant j'entendis un bruit de pas; je me dissi-
mulai dans le retrait du mur.

Je ne pus voir qui sortait du jardin; mais j'entendis, je sentis que c'était Alissa. Elle fit trois
pas en avant, appela faiblement :

« Est-ce toi, Jérôme?... »

Mon cœur, qui battait violemment, s'arrêta,
et, comme de ma gorge serrée ne pouvait sortir
une parole, elle répéta plus fort : .

« Jérôme! Est-ce toi? »

A l'entendre ainsi m'appeler, l'émotion qui

m'étreignit fut si vive qu'elle me fit tomber à
genoux. Comme je ne répondais toujours pas,
Alissa fit quelques pas en avant, tourna le mur
et je la sentis soudain contre moi — contre moi
qui cachais de mon bras mon visage, comme par
peur de la voir aussitôt. Elle resta quelques instants penchée vers moi, tandis que je couvrais
de baisers ses mains frêles.

« Pourquoi te cachais-tu? me dit-elle, aussi
simplement que si ces trois ans de séparation
n'eussent duré que quelques jours.

— Comment as-tu compris que c'était moi?

— Je t'attendais.

— Tu m'attendais? » dis-je, si surpris que je
ne pouvais que répéter interrogativement ses
paroles... Et comme je restais agenouillé :

« Allons jusqu'au banc, reprit-elle. — Oui,
je savais que je devais encore une fois te revoir.
Depuis trois jours, je reviens ici chaque soir et
je t'appelle comme j'ai fait ce soir... Pourquoi
ne répondais-tu pas?

— Si tu n'étais pas venue me surprendre, je
repartais sans t'avoir vue, dis-je, me raidissant
contre l'émotion qui d'abord m'avait trouvé
défaillant. — Simplement, passant au Havre,
j'allais me promener dans l'avenue, tourner à
l'entour du jardin, me reposer quelques instants
sur ce banc de la marnière où je pensais que tu
venais encore t'asseoir, puis...

— Vois ce que depuis trois soirs j'y viens
lire », dit-elle en m'interrompant, et elle me

tendit un paquet de lettres; je reconnus celles
que je lui écrivais d'Italie. A ce moment je levai
les yeux vers elle. Elle était extraordinairement
changée; sa maigreur, sa pâleur me serrèrent le
cœur affreusement. S'appuyant et pesant à mon
bras, elle se pressait contre moi comme si elle
eût eu peur ou froid. Elle était encore en grand
deuil, et sans doute la dentelle noire qu'elle
avait mise en guise de coiffure et qui lui enca-
drait le visage ajoutait à sa pâleur. Elle souriait,
mais semblait défaillir. Je m'inquiétai de savoir
si elle était seule en ce moment à Fongueusemare.
Non; Robert y vivait avec elle; Juliette, Edouard
et leurs trois enfants étaient venus passer près
d'eux le mois d'août... Nous étions parvenus au
banc; nous nous assîmes, et la conversation quelques instants encore traîna le long d'informa-
tions banales. Elle s'enquit de mon travail. Je
répondis de mauvaise grâce. J'aurais voulu
qu'elle sentît que mon travail ne m'intéressait
plus. J'aurais voulu la décevoir, comme elle aussi
m'avait déçu. Je ne sais si j'y parvins, mais elle
n'en laissa rien paraître. Pour moi, plein à la
fois de ressentiment et d'amour, je m'efforçais
de lui parler de la manière la plus sèche et m'en
voulais de l'émotion qui parfois faisait trembler
ma voix.

Le soleil déclinant, que cachait depuis quelques instants un nuage, reparut au ras de l'horizon, presque en face de nous, envahissant d'un

luxe frémissant les champs vides et comblant
d'une profusion subite l'étroit vallon qui s'ouvrait à nos pieds; puis, disparut. Je demeurais
ébloui, sans rien dire; je sentais m'envelopper
encore, et pénétrer cette sorte d'extase dorée où
mon ressentiment s'évaporait et je n'entendais
plus en moi que l'amour. Alissa, qui restait penchée, appuyée contre moi, se redressa; elle sortit de son corsage un menu paquet enveloppé
de papier fin, fit mine de me le tendre, s'arrêta,
semblant indécise, et comme je la regardais, surpris :

« Ecoute, Jérôme, c'est ma croix d'améthyste
que j'ai là; depuis trois soirs je l'apporte parce
que je voulais depuis longtemps te la donner.

— Que veux-tu que j'en fasse? fis-je assez
brusquement.

— Que tu la gardes en souvenir de moi, pour
ta fille.

— Quelle fille? m'écriai-je en regardant Alissa
sans la comprendre.

— Ecoute-moi bien calmement, je t'en prie;
non, ne me regarde pas ainsi; ne me regarde pas;
déjà j'ai beaucoup de mal à te parler; mais ceci,
je veux absolument te le dire. Ecoute, Jérôme,
un jour, tu te marieras?... Non, ne me réponds
pas; ne m'interromps pas, je t'en supplie. Je
voudrais tout simplement que tu te souviennes
que je t'aurai beaucoup aimé et... depuis longtemps déjà... depuis trois ans... j'ai pensé que
cette petite croix que tu aimais, une fille de toi

la porterait un jour, en souvenir de moi, oh! sans savoir de qui... et peut-être pourrais-tu aussi lui donner... mon nom... »

Elle s'arrêta, la voix étranglée; je m'écriai presque hostilement :

« Pourquoi ne pas la lui donner toi-même? »

Elle essaya de parler encore. Ses lèvres tremblaient comme celles d'un enfant qui sanglote; elle ne pleurait pas toutefois; l'extraordinaire éclat de son regard inondait son visage d'une surhumaine, d'une angélique beauté.

« Alissa! qui donc épouserais-je? Tu sais pourtant que je ne puis aimer que toi... » et tout à coup, la serrant éperdument, presque brutalement dans mes bras, j'écrasai de baisers ses lèvres. Un instant comme abandonnée je la tins à demi renversée contre moi; je vis son regard se voiler; puis ses paupières se fermèrent, et d'une voix dont rien n'égalera pour moi la justesse et la mélodie :

« Aie pitié de nous, mon ami! Ah! n'abîme pas notre amour. »

Peut-être dit-elle encore : N'agis pas lâchement! ou peut-être me le dis-je moi-même, je ne sais plus, mais soudain, me jetant à genoux devant elle et l'enveloppant pieusement de mes bras :

« Si tu m'aimais ainsi, pourquoi m'as-tu toujours repoussé? Vois! j'attendais d'abord le mariage de Juliette; j'ai compris que tu attendisses aussi son bonheur; elle est heureuse; c'est toi-même qui me l'as dit. J'ai cru longtemps que tu voulais continuer à vivre près de ton père; mais à présent nous voici tous deux seuls.

— Oh! ne regrettons pas le passé, murmura-t-elle. A présent j'ai tourné la page.

— Il est temps encore, Alissa.

— Non, mon ami, il n'est plus temps. Il n'a plus été temps du jour où, par amour, nous avons entrevu l'un pour l'autre mieux que l'amour. Grâce à toi, mon ami, mon rêve était monté si haut que tout contentement humain l'eût fait déchoir. J'ai souvent réfléchi à ce qu'eût été notre vie l'un avec l'autre; dès qu'il n'eût plus été parfait, je n'aurais plus pu supporter... notre amour.

— Avais-tu réfléchi à ce que serait notre vie l'un sans l'autre?

— Non! jamais.

— A présent, tu le vois! Depuis trois ans sans toi, j'erre péniblement... »

Le soir tombait.

« J'ai froid, dit-elle en se levant et s'enveloppant de son châle trop étroitement pour que je pusse reprendre son bras. Tu te souviens de ce verset de l'Ecriture, qui nous inquiétait et que nous craignions de ne pas bien comprendre :
« Ils n'ont pas obtenu ce qui leur avait été pro-
« mis, Dieu nous ayant réservés pour quelque
« chose de meilleur... »

— Crois-tu toujours à ces paroles?

— Il le faut bien. »

Nous marchâmes quelques instants l'un près de l'autre, sans plus rien dire. Elle reprit :

« Imagines-tu cela, Jérôme : le meilleur! » Et brusquement les larmes jaillirent de ses yeux, tandis qu'elle répétait encore : le meilleur!

Nous étions de nouveau parvenus à la petite porte du potager par où, tout à l'heure, je l'avais vue sortir. Elle se retourna vers moi :

« Adieu! fit-elle. Non, ne viens pas plus loin. Adieu, mon bien-aimé. C'est maintenant que va commencer... le meilleur. »

Un instant elle me regarda, tout à la fois me retenant et m'écartant d'elle, les bras tendus et les mains sur mes épaules, les yeux emplis d'un indicible amour...

Dès que la porte fut refermée, dès que je l'eus entendue tirer le verrou derrière elle, je tombai contre cette porte, en proie au plus excessif désespoir et restai longtemps pleurant et sanglotant dans la nuit.

Mais la retenir, mais forcer la porte, mais pénétrer n'importe comment dans la maison, qui pourtant ne m'eût pas été fermée, non, encore aujourd'hui que je reviens en arrière pour revivre tout ce passé... non, cela ne m'était pas possible, et ne m'a point compris jusqu'alors celui qui ne me comprend pas à présent.

Une intolérable inquiétude me fit écrire à Juliette quelques jours plus tard. Je lui parlai de ma visite à Fongueusemare et lui dis com-

bien m'alarmaient la pâleur et la maigreur
d'Alissa; je la suppliais d'y prendre garde et de
me donner les nouvelles que je ne pouvais plus
attendre d'Alissa elle-même.

Moins d'un mois après, je reçus la lettre que
voici :

Mon cher Jérôme,

*Je viens t'annoncer une bien triste nouvelle :
notre pauvre Alissa n'est plus... Hélas! les
craintes qu'exprimait ta lettre n'étaient que
trop fondées. Depuis quelques mois, sans être
précisément malade, elle dépérissait; pourtant,
cédant à mes supplications, elle avait consenti à
voir le docteur A..., du Havre, qui m'avait écrit
qu'elle n'avait rien de grave. Mais trois jours
après la visite que tu lui as faite, elle a brusquement quitté Fongueusemare. C'est par une lettre
de Robert que j'ai appris son départ; elle m'écrit
si rarement que, sans lui, j'aurais tout ignoré de
sa fuite, car je ne me serais pas vite alarmée de
son silence. J'ai fait de vifs reproches à Robert
de l'avoir ainsi laissée partir, de ne pas l'avoir
accompagnée à Paris. Croirais-tu que, depuis ce
moment, nous sommes restés dans l'ignorance de
son adresse. Tu juges de mon angoisse; impossible de la voir, impossible même de lui écrire.
Robert a bien été à Paris quelques jours plus
tard, mais n'a rien pu découvrir. Il est si indo-*

lent que nous avons douté de son zèle. Il fallait
aviser la police; nous ne pouvions rester dans
cette cruelle incertitude. Edouard est parti, a si
bien fait qu'enfin il a découvert la petite maison
de santé où Alissa s'était réfugiée. Hélas! trop
tard. Je recevais en même temps une lettre du
directeur de la maison m'annonçant sa mort, et
une dépêche d'Edouard qui n'a même pas pu la
revoir. Le dernier jour elle avait écrit notre
adresse sur une enveloppe afin que nous fussions
prévenus, et, dans une autre enveloppe, mis le
double d'une lettre qu'elle avait envoyée à notre
notaire du Havre, et qui contenait ses dernières
volontés. Je crois qu'un passage de cette lettre te
concerne; je te le ferai connaître prochainement.
Edouard et Robert ont pu assister à l'inhumation qui a eu lieu avant-hier. Ils n'étaient pas
seuls à suivre la bière. Quelques malades de la
maison de santé avaient tenu à assister à la cérémonie et à accompagner le corps au cimetière.
Pour moi, qui attends mon cinquième enfant
d'un jour à l'autre, je n'ai malheureusement pas
pu me déplacer.

Mon cher Jérôme, je sais le profond chagrin
que te causera ce deuil, et je t'écris le cœur
navré. J'ai dû m'aliter depuis deux jours et
j'écris difficilement, mais ne voulais laisser personne d'autre, pas même Edouard ou Robert, te
parler de celle que nous avons été sans doute
tous deux seuls à connaître. Maintenant que me
voici une presque vieille mère de famille et que

beaucoup de cendres ont recouvert le brûlant
passé, je puis souhaiter te revoir. Si quelque jour
tes occupations ou ton agrément t'appelaient vers
Nîmes, viens jusqu'à Aigues-Vives. Edouard
serait heureux de te connaître et tous deux nous
pourrions parler d'Alissa. Adieu, mon cher
Jérôme. Je t'embrasse bien tristement.

Quelques jours après, j'appris qu'Alissa laissait Fongueusemare à son frère, mais demandait
que tous les objets de sa chambre et quelques
meubles qu'elle indiquait fussent envoyés à
Juliette. Je devais recevoir prochainement des
papiers qu'elle avait mis sous pli cacheté à mon
nom. J'appris encore qu'elle avait demandé
qu'on lui mît au cou la petite croix d'améthyste
que j'avais refusée à ma dernière visite, et je sus
par Edouard que cela avait été fait.

Le pli cacheté que le notaire me renvoya
contenait le journal d'Alissa. J'en transcris ici
nombre de pages. — Je les transcris sans com-
mentaires. Vous imaginerez suffisamment les
réflexions que je fis en les lisant et le boulever-
sement de mon cœur que je ne pourrais que
trop imparfaitement indiquer.

JOURNAL D'ALISSA

Avant-hier, départ du Havre; hier, arrivée à Nîmes; mon premier voyage! N'ayant aucun souci du ménage ni de la cuisine, dans le léger désœuvrement qui s'ensuit, ce 23 mai 188., jour anniversaire de mes vingt-cinq ans, je commence un journal — sans grand amusement, un peu pour me tenir compagnie; car, pour la première fois de ma vie peut-être, je me sens seule — sur une terre différente, étrangère presque, et avec qui je n'ai pas encore lié connaissance. Ce qu'elle a à me dire est sans doute pareil à ce que me racontait la Normandie, et que j'écoute infatigablement à Fongueusemare — car Dieu n'est différent de soi nulle part — mais elle parle, cette terre méridionale, une langue que je n'ai pas encore apprise et que j'écoute avec étonnement.

24 mai.

Juliette sommeille sur une chaise longue près de moi — dans la galerie ouverte qui fait le charme de cette maison à l'italienne, de plain-pied avec la cour sablée qui continue le jardin... Juliette, sans quitter sa chaise longue, peut voir la pelouse se vallonner jusqu'à la pièce d'eau où s'ébat un peuple de canards bariolés et où naviguent deux cygnes. Un ruisseau que ne tarit, dit-on, aucun été l'alimente, puis fuit à travers le jardin qui devient bosquet toujours plus sauvage, resserré de plus en plus entre la garrigue sèche et les vignobles, et bientôt complètement étranglé.

... Edouard Teissières a fait visiter hier, à mon père, le jardin, la ferme, les celliers, les vignobles, pendant que je restais auprès de Juliette, — de sorte que ce matin, de très bonne heure, j'ai pu faire, seule, ma première promenade de découverte dans le parc. Beaucoup de plantes et d'arbres inconnus dont pourtant j'aurais voulu savoir le nom. De chacun d'eux je cueille une ramille pour me les faire nommer, au déjeuner. Je reconnais en ceux-ci les chênes verts qu'admirait Jérôme à la villa Borghèse ou Doria-Pamphili... si lointains parents de nos arbres du nord — d'expression si différente; ils abritent, presque à l'extrémité du parc, une clairière étroite, mystérieuse et se penchent au-dessus d'un gazon doux aux pieds, invitant le chœur des nymphes. Je m'étonne, m'effarouche presque de ce qu'ici mon sentiment de la nature, si profondément chrétien à Fongueusemare, malgré moi devienne un peu mythologique. Pourtant elle était encore religieuse la sorte de crainte qui de plus en plus m'oppressait. Je murmurais ces mots : *hic nemus*. L'air était cristallin : il faisait un silence étrange. Je songeais à Orphée, à Armide, lorsque tout à coup un chant d'oiseau, unique, s'est élevé, si près de moi, si pathétique, si pur qu'il me sembla soudain que toute la nature l'attendait. Mon cœur battait très fort; je suis restée un instant appuyée contre un arbre, puis suis rentrée avant que personne encore ne fût levé.

26 mai.

Toujours sans nouvelles de Jérôme. Quand il m'aurait écrit au Havre, sa lettre m'aurait été renvoyée... Je ne puis confier qu'à ce cahier mon inquiétude; ni la course d'hier aux Baux, ni la prière, depuis trois jours,

n'ont pu m'en distraire un instant. Aujourd'hui, je ne
peux écrire rien d'autre : l'étrange mélancolie dont je
souffre depuis mon arrivée à Aigues-Vives n'a peut-
être pas d'autre cause; — pourtant je la sens à une
telle profondeur en moi-même qu'il me semble maintenant qu'elle était là depuis longtemps et que la joie
dont je me disais fière ne faisait que la recouvrir.

27 mai.

Pourquoi me mentirais-je à moi-même? C'est par un
raisonnement que je me réjouis du bonheur de Juliette.
Ce bonheur que j'ai tant souhaité, jusqu'à offrir de
lui sacrifier mon bonheur, je souffre de le voir obtenu
sans peine. et différent de ce qu'elle et moi nous ima-
ginions qu'il dût être. Que cela est compliqué! Si... je
discerne bien qu'un affreux retour d'égoïsme s'offense
de ce qu'elle ait trouvé son bonheur ailleurs que dans
mon sacrifice — qu'elle n'ait pas eu besoin de mon
sacrifice pour être heureuse.

Et je me demande à présent, à sentir quelle inquiétude me cause le silence de Jérôme : ce sacrifice était-il
réellement consommé dans mon cœur? Je suis comme
humiliée que Dieu ne l'exige plus de moi. N'en étais-je
donc point capable?

28 mai.

Combien cette analyse de ma tristesse est dangereuse!
Déjà je m'attache à ce cahier. La coquetterie, que je
croyais vaincue, reprendrait-elle ici ses droits? Non;
que ce journal ne soit pas le complaisant miroir devant
lequel mon âme s'apprête! Ce n'est pas par désœuvrement, comme je le croyais d'abord, que j'écris, mais par
tristesse. La tristesse est un *état de péché,* que je ne
connaissais plus, que je hais, dont je veux *décompli-*

quer mon âme. Ce cahier doit m'aider à réobtenir en
moi le bonheur.

La tristesse est une complication. Jamais je ne cherchais à analyser mon bonheur.

A Fongueusemare j'étais bien seule aussi, plus seule
encore... pourquoi donc ne le sentais-je pas? Et quand
Jérôme m'écrivait d'Italie, j'acceptais qu'il vît sans
moi, qu'il vécût sans moi, je le suivais par la pensée
et faisais de sa joie la mienne. Je l'appelle à présent
malgré moi; sans lui tout ce que je vois de neuf
m'importune...

10 juin.

Longue interruption de ce journal à peine commencé; naissance de la petite Lise; longues veillées
auprès de Juliette; tout ce que je peux écrire à Jérôme,
je n'ai nul plaisir à l'écrire ici. Je voudrais me garder
de cet insupportable défaut commun à tant de
femmes : le trop écrire. Considérer ce cahier comme
un instrument de perfectionnement

Suivaient plusieurs pages de notes prises au
cours de lectures, passages copiés, etc. Puis,
datée de Fongueusemare de nouveau :

16 juillet.

Juliette est heureuse; elle le dit, le paraît; je n'ai
pas le droit, pas de raison d'en douter... D'où me vient
à présent, auprès d'elle, ce sentiment d'insatisfaction,
de malaise? — Peut-être à sentir cette félicité si pratique, si facilement obtenue, si parfaitement « sur
mesure » qu'il semble qu'elle enserre l'âme et l'étouffe...

Et je me demande à présent si c'est bien le bonheur

que je souhaite ou plutôt l'acheminement vers le
bonheur. O Seigneur! Gardez-moi d'un bonheur que je
pourrais trop vite atteindre! Enseignez-moi à différer,
à reculer jusqu'à Vous mon bonheur.

De nombreuses feuilles ensuite avaient été
arrachées; sans doute relataient-elles notre pénible revoir du Havre. Le journal ne reprenait
que l'an suivant; feuillets non datés, mais certainement écrits au moment de mon séjour à
Fongueusemare.

Parfois, en l'écoutant parler je crois me regarder
penser. Il m'explique et me découvre à moi-même.
Existerais-je sans lui? Je ne suis qu'avec lui...

Parfois j'hésite si ce que j'éprouve pour lui c'est bien
ce que l'on appelle de l'amour — tant la peinture que
d'ordinaire on fait de l'amour diffère de celle que je
pourrais en faire. Je voudrais que rien n'en fût dit et
l'aimer sans savoir que je l'aime. Surtout je voudrais
l'aimer sans qu'il le sût.

De tout ce qu'il me faut vivre sans lui, rien ne m'est
plus d'aucune joie. Toute ma vertu n'est que pour lui
plaire et pourtant, près de lui, je sens ma vertu
défaillante.

J'aimais l'étude du piano parce qu'il me semblait
que je pouvais y progresser un peu chaque jour. C'est
peut-être aussi le secret du plaisir que je prends à lire
un livre en langue étrangère : non certes que je préfère quelque langue que ce soit à la nôtre ou que ceux
de nos écrivains que j'admire me paraissent le céder
en rien aux étrangers — mais la légère difficulté dans
la poursuite du sens et de l'émotion, l'inconsciente
fierté peut-être de la vaincre et de la vaincre toujours
mieux, ajoute au plaisir de l'esprit je ne sais quel

contentement de l'âme, dont il me semble que je ne
puis me passer.

Si bienheureux qu'il soit, je ne puis souhaiter un
état sans progrès. Je me figure la joie céleste non
comme une confusion en Dieu, mais comme un rappro-
chement infini, continu... et si je ne craignais de jouer
sur un mot, je dirais que je ferais fi d'une joie qui ne
serait pas *progressive*.

Ce matin nous étions assis tous deux sur le banc de
l'avenue; nous ne disions rien et n'éprouvions le besoin
de rien dire... Tout à coup, il m'a demandé si je croyais
à la vie future.

« Mais, Jérôme, me suis-je écriée aussitôt, c'est mieux
pour moi qu'une espérance : c'est une certitude... »

Et brusquement il m'a semblé que toute ma foi s'était
comme vidée dans ce cri.

« Je voudrais savoir! » a-t-il ajouté... il s'est arrêté
quelques instants, puis : « Agirais-tu différemment, sans
ta foi?

— Comment puis-je le savoir, ai-je répondu; et
j'ajoutai : — Mais toi-même, et malgré toi, mon ami,
tu ne peux plus agir autrement que tu ne ferais, animé
par la foi la plus vive. Et je ne t'aimerais pas, différent. »

Non, Jérôme, non, ce n'est pas la récompense future
vers quoi s'efforce notre vertu : ce n'est pas la récompense que cherche notre amour. L'idée d'une rémuné-
ration de sa peine est blessante à l'âme bien née. La
vertu n'est pas non plus pour elle une parure : non,
c'est la forme de sa beauté.

Papa va de nouveau moins bien; rien de grave j'espère, mais il a dû se remettre au lait depuis trois jours.

Hier au soir, Jérôme venait de monter dans sa
chambre; papa, qui prolongeait avec moi la veillée, m'a
laissée seule quelques instants. J'étais assise sur le
canapé, ou plutôt — ce qui ne m'arrive presque jamais

— je m'étais étendue, je ne sais pourquoi. L'abat-jour abritait de la lumière mes yeux et le haut de mon corps; je regardais machinalement la pointe de mes pieds, qui dépassait un peu ma robe et qu'un reflet de lampe accrochait. Quand papa est rentré, il est resté quelques instants debout devant la porte à me dévisager d'une manière étrange, à la fois souriante et triste. Vaguement confuse, je me suis levée; alors il m'a fait signe.

« Viens t'asseoir près de moi », m'a-t-il dit et, bien qu'il fût déjà tard, il a commencé à me parler de ma mère, ce qu'il n'avait jamais fait depuis leur séparation. Il m'a raconté comment il l'avait épousée, combien il l'aimait et ce que d'abord elle avait été pour lui.

« Papa, lui ai-je dit enfin, je te supplie de me dire pourquoi tu me racontes cela ce soir, ce qui te fait me raconter cela précisément ce soir...

— Parce que, tout à l'heure, quand je suis rentré dans le salon, et que je t'ai vue, comme tu étais étendue sur le canapé, un instant j'ai cru revoir ta mère. »

Si j'insistais ainsi, c'est que, ce même soir... Jérôme lisait par-dessus mon épaule, debout, appuyé contre mon fauteuil, penché sur moi. Je ne pouvais le voir mais sentais son haleine et comme la chaleur et le frémissement de son corps. Je feignais de continuer ma lecture, mais je ne comprenais plus; je ne distinguais même plus les lignes; un trouble si étrange s'était emparé de moi que j'ai dû me lever de ma chaise, en hâte, tandis que je le pouvais encore. J'ai pu quitter quelques instants la pièce sans qu'heureusement il se soit rendu compte de rien... Mais quand, un peu plus tard, seule dans le salon, je m'étais étendue sur ce canapé où papa trouvait que je ressemblais à ma mère, précisément alors c'est à elle que je pensais.

J'ai très mal dormi cette nuit, inquiète, oppressée, misérable, obsédée par le souvenir du passé qui remontait en moi comme un remords. Seigneur, enseignez-moi l'horreur de tout ce qui a quelque apparence du mal.

Pauvre Jérôme! Si pourtant il savait que parfois il n'aurait qu'un geste à faire, et que ce geste parfois je l'attends...

Lorsque j'étais enfant, c'est à cause de lui déjà que je souhaitais d'être belle. Il me semble à présent que je n'ai jamais « tendu à la perfection » que pour lui. Et que cette perfection ne puisse être atteinte que sans lui, c'est, ô mon Dieu! celui d'entre vos enseignements qui déconcerte le plus mon âme.

Combien heureuse doit être l'âme pour qui vertu se confondrait avec amour! Parfois je doute s'il est d'autre vertu que d'aimer, d'aimer le plus possible et toujours plus... Mais certains jours, hélas! la vertu ne m'apparaît plus que comme une résistance à l'amour. Eh quoi! oserais-je appeler vertu le plus naturel penchant de mon cœur! O sophisme attrayant! invitation spécieuse! mirage insidieux du bonheur!

Je lis ce matin dans La Bruyère :

« Il y a quelquefois, dans le cours de la vie, de si chers plaisirs et de si tendres engagements que l'on nous défend, qu'il est naturel de désirer du moins qu'ils fussent permis : de si grands charmes ne peuvent être surpassés que par celui de savoir y renoncer par vertu. »

Pourquoi donc inventai-je ici la défense? Serait-ce que m'attire en secret un charme plus puissant encore, plus suave que celui de l'amour? Oh! pouvoir entraîner à la fois nos deux âmes, à force d'amour, au-delà de l'amour!...

Hélas! Je ne le comprends que trop bien à présent : entre Dieu et lui, il n'est pas d'autre obstacle que moi-même. Si, peut-être, comme il me le dit, son amour pour moi l'inclina vers Dieu tout d'abord, à présent cet amour l'empêche; il s'attarde à moi, me préfère, et je deviens l'idole qui le retient de s'avancer plus loin dans la vertu. Il faut que l'un de nous deux y parvienne; et désespérant de surmonter dans mon lâche cœur mon amour, permettez-moi, mon Dieu, accordez-moi la force

de lui apprendre à ne m'aimer plus; de manière qu'au
prix des miens, je vous apporte ses mérites infiniment
préférables... et si mon âme aujourd'hui sanglote de le
perdre, n'est-ce pas pour que, plus tard, je le retrouve
en Vous...

Dites, ô mon Dieu! quelle âme vous mérita jamais
davantage? N'est-il pas né pour mieux que pour m'aimer? Et l'aimerais-je autant, s'il devait s'arrêter à moi-
même? Combien se rétrécit dans le bonheur tout ce qui
pourrait être héroïque!...

Dimanche.

« Dieu nous ayant gardés pour quelque chose de
meilleur. »

Lundi 3 mai.

Que le bonheur soit là, tout près, s'il se propose...
n'avoir qu'à allonger la main pour s'en saisir...
Ce matin, causant avec lui, j'ai consommé le sacrifice.

Lundi soir.

Il part demain...
Cher Jérôme, je t'aime toujours de tendresse infinie;
mais jamais plus je ne pourrai te le dire. La contrainte
que j'impose à mes yeux, à mes lèvres, à mon âme, est
si dure que te quitter m'est délivrance et amère satis-
faction.

Je m'efforce d'agir avec raison, mais au moment de
l'action, les raisons qui me faisaient agir m'échappent,
ou me paraissent folles; je n'y crois plus...
Les raisons qui me font le fuir? Je n'y crois plus...
Et je le fuis pourtant, avec tristesse, et sans comprendre
pourquoi je le fuis.

Seigneur! nous avancer vers vous, Jérôme et moi, l'un avec l'autre, l'un par l'autre; marcher tout le long de la vie comme deux pèlerins dont l'un parfois dise à l'autre : « Appuie-toi sur moi, frère, si tu es las », et dont l'autre réponde : « Il me suffit de te sentir près de moi... » Mais non! la route que vous nous enseignez, Seigneur, est une route étroite — étroite à n'y pouvoir marcher deux de front.

4 juillet.

Voilà plus de six semaines que je n'ai pas rouvert ce cahier. Le mois dernier, en en relisant quelques pages, j'y avais surpris un absurde, un coupable souci de bien écrire... que je *lui* dois...

Comme si, dans ce cahier que je n'ai commencé que pour m'aider à me passer de lui, je continuais à *lui* écrire.

J'ai déchiré toutes les pages qui m'ont paru *bien écrites.* (Je sais ce que j'entends par là.) J'aurais dû déchirer toutes celles où il est question de lui. J'aurais dû tout déchirer... Je n'ai pas pu.

Et déjà d'avoir arraché ces quelques pages, j'ai ressenti un peu d'orgueil... un orgueil dont je rirais, si mon cœur n'était si malade.

Vraiment il semblait que j'eusse là du mérite et que ce que je supprimais fût grand-chose!

6 juillet.

J'ai dû bannir de ma bibliothèque...

De livre en livre je le fuis et le retrouve. Même la page que sans lui je découvre, j'entends sa voix encore me la lire. Je n'ai goût qu'à ce qui l'intéresse, et ma pensée a pris la forme de la sienne au point que je ne sais les distinguer pas plus qu'au temps où je pouvais me plaire à les confondre.

Parfois je m'efforce d'écrire mal, pour échapper au rythme de ses phrases; mais lutter contre lui, c'est encore m'occuper de lui. Je prends la résolution de ne plus lire pour un temps que la Bible (l'Imitation aussi, peut-être) et de ne plus écrire dans ce carnet que, chaque jour, le verset marquant de ma lecture.

Suivait une sorte de « pain quotidien », où la date de chaque jour, à partir du premier juillet, était accompagnée d'un verset. Je ne transcris ici que ceux qu'accompagnait aussi quelque commentaire.

20 juillet.

« Vends tout ce que tu as et le donne aux pauvres. » Je comprends qu'il faudrait donner aux pauvres ce cœur dont je ne dispose que pour Jérôme. Et du même coup n'est-ce pas lui enseigner à faire de même?... Seigneur, donnez-moi ce courage.

24 juillet.

J'ai cessé de lire l'*Internelle Consolacion*. Cette ancienne langue m'amusait fort, mais me distrayait et la joie quasi païenne que j'y goûte n'a rien à voir avec l'édification que je me proposais d'y chercher.

Repris l'Imitation; et non point même dans le texte latin, que je suis trop vaine de comprendre. J'aime que ne soit pas même signée la traduction où je la lis — protestante il est vrai, mais « appropriée à toutes les communions chrétiennes », dit le titre.

« Oh! si tu savais quelle paix tu acquerrais, et quelle joie tu donnerais aux autres en t'avançant dans la vertu, je m'assure que tu y travaillerais avec plus de soin. »

10 août.

Quand je crierais vers Vous, mon Dieu, avec l'élan de la foi d'un enfant et la voix surhumaine des anges...

Tout cela, je le sais, me vient non de Jérôme, mais de Vous.

Mais pourquoi entre Vous et moi, posez-Vous partout son image?

14 août

Plus que deux mois pour parachever cet ouvrage... O Seigneur aidez-moi!

20 août.

Je le sens bien, je le sens *à ma tristesse*, que le sacrifice n'est pas consommé dans mon cœur. Mon Dieu, donnez-moi de ne devoir qu'à Vous cette joie que lui seul me faisait connaître.

28 août.

A quelle médiocre, triste vertu je parviens! Exigé-je donc trop de moi? — N'en plus souffrir.

Par quelle lâcheté toujours implorer de Dieu sa force! A présent toute ma prière est plaintive.

29 août.

« Regardez les lis des champs... »

Cette parole si simple m'a plongée ce matin dans une tristesse dont rien ne pouvait me distraire. Je suis sortie dans la campagne et ces mots que malgré moi je répétais sans cesse emplissaient de larmes mon cœur et mes yeux. Je contemplais la vaste plaine vide où le laboureur penché sur la charrue peinait... « Les lis des champs... » Mais, Seigneur, où sont-ils?...

16 septembre, 10 heures du soir.

Je l'ai revu. Il est là, sous ce toit. Je vois sur le gazon la clarté qu'y porte sa fenêtre. Pendant que j'écris ces lignes, il veille; et peut-être qu'il pense à moi. Il n'a pas changé; il le dit; je le sens. Saurai-je me montrer à lui telle que j'ai résolu d'être, afin que son amour me désavoue?...

24 septembre.

Oh! conversation atroce où j'ai su feindre l'indifférence, la froideur, lorsque mon cœur au-dedans de moi se pâmait... Jusqu'à présent, je m'étais contentée de le fuir. Ce matin j'ai pu croire que Dieu me donnerait la force de vaincre, et que me dérober sans cesse à la lutte n'allait pas sans lâcheté. Ai-je triomphé? Jérôme m'aime-t-il un peu moins?... Hélas! c'est ce que j'espère, et que je crains tout à la fois... Je ne l'ai jamais aimé davantage.

Et s'il vous faut, Seigneur, pour le sauver de moi, que je me perde, faites!...

« Entrez dans mon cœur et dans mon âme pour y porter mes souffrances et pour continuer d'endurer en moi ce qui vous reste à souffrir de votre Passion. »

Nous avons parlé de Pascal... Qu'ai-je pu lui dire? Quels honteux, absurdes propos! Si je souffrais en les disant déjà, ce soir je m'en repens comme d'un blasphème. J'ai repris le livre pesant des Pensées, qui de lui-même s'est ouvert à ce passage des lettres à Mlle de Roannez :

« On ne sent pas son lien quand on suit volontairement celui qui entraîne; mais quand on commence à résister et à marcher en s'éloignant on souffre bien. »

Ces paroles me touchaient si directement que je n'ai
pas eu la force de continuer ma lecture; mais ouvrant
le livre à un autre endroit, ce fut pour trouver un passage admirable que je ne connaissais pas et que je viens
de copier.

Ici s'achevait le premier cahier de ce journal.
Sans doute un cahier suivant fut détruit; car,
dans les papiers laissés par Alissa, le journal ne
reprenait que trois ans plus tard, à Fongueusemare encore — en septembre — c'est-à-dire peu
de temps avant notre dernier revoir.

Les phrases qui suivent ouvrent ce dernier
cahier.

17 septembre.

Mon Dieu, vous savez bien que j'ai besoin de lui pour Vous aimer.

20 septembre.

Mon Dieu, donnez-le-moi, afin que je Vous donne mon cœur.

Mon Dieu, faites-le-moi revoir seulement.

Mon Dieu, je m'engage à vous donner mon cœur; accordez-moi ce que mon amour vous demande. Je ne donnerai plus qu'à Vous ce qui me restera de vie...

Mon Dieu, pardonnez-moi cette méprisable prière, mais je ne puis écarter son nom de mes lèvres, ni oublier la peine de mon cœur.

Mon Dieu, je crie à Vous; ne m'abandonnez pas dans ma détresse.

21 septembre.

« Tout ce que vous demanderez à mon père en mon nom... »

Seigneur! en votre nom je n'ose...

Mais si je ne formule plus ma prière, en connaîtrez-vous moins pour cela le délirant souhait de mon cœur?

27 septembre.

Depuis ce matin un grand calme. Passé presque toute la nuit en méditation, en prière. Soudain il m'a semblé que m'entourait, que descendait en moi une sorte de paix lumineuse, pareille à l'imagination qu'enfant je me faisais du Saint-Esprit. Je me suis aussitôt couchée, craignant de ne devoir ma joie qu'à une exaltation nerveuse; je me suis endormie assez vite, sans que cette félicité m'eût quittée. Elle est là ce matin tout entière. J'ai maintenant la certitude qu'il viendra.

30 septembre.

Jérôme! mon ami, toi que j'appelle encore mon frère, mais que j'aime infiniment plus qu'un frère... Combien de fois ai-je crié ton nom dans la hêtraie!... Sortant chaque soir, vers la tombée du jour, par la petite porte du potager, je descends l'avenue déjà sombre... Tu me répondrais soudain, tu m'apparaîtrais là, derrière le talus pierreux qu'avait hâte de contourner mon regard, ou bien je te verrais de loin, assis sur le banc, à m'attendre, mon cœur n'aurait pas un sursaut... au contraire, je m'étonne de ne pas te voir.

1er octobre.

Rien encore. Le soleil s'est couché dans un ciel incomparablement pur. J'attends. Je sais que bientôt, sur ce même banc, je serai assise avec lui... J'écoute déjà sa parole. J'aime tant à l'entendre prononcer mon nom... Il sera là! Je mettrai ma main dans sa main. Je laisserai mon front s'appuyer contre son épaule. Je respirerai près de lui. Hier déjà, j'avais emporté

quelques-unes de ses lettres pour les relire; mais je ne
les ai pas regardées. trop occupée par sa pensée. J'avais
également pris sur moi la croix d'améthyste qu'il
aimait et que je portais chaque soir, un des étés passés,
aussi longtemps que je ne voulais pas qu'il partît.

Je voudrais lui remettre cette croix. Il y a longtemps
déjà je faisais ce rêve : lui marié; moi, marraine de sa
première fille, une petite Alissa, à qui je donnais ce
bijou... Pourquoi n'ai-je jamais osé le lui dire?

2 octobre.

Mon âme est légère et joyeuse aujourd'hui comme
un oiseau qui aurait fait son nid dans le ciel. C'est
aujourd'hui qu'il doit venir; je le sens, je le sais; je
voudrais le crier à tous; j'ai besoin de l'écrire ici. Je
ne veux plus cacher ma joie. Même Robert, si distrait
d'ordinaire et si indifférent à moi, l'a remarquée. Ses
questions m'ont troublée et je n'ai su quoi lui
répondre. Comment vais-je attendre à ce soir?...

Je ne sais quel transparent bandeau me présente partout agrandie son image et concentre tous les rayons
de l'amour sur un seul point brûlant de mon cœur.

Oh! que l'attente me fatigue!...

Seigneur! entrouvrez un instant devant moi les larges
vantaux du bonheur.

3 octobre.

Tout s'est éteint. Hélas! il s'est échappé d'entre mes
bras, comme une ombre. Il était là! Il était là! Je le
sens encore. Je l'appelle. Mes mains, mes lèvres le
cherchent en vain dans la nuit...

Je ne puis ni prier, ni dormir. Je suis ressortie dans
le jardin sombre. Dans ma chambre, dans toute la mai-

son, j'avais peur; ma détresse m'a ramenée jusqu'à la porte derrière laquelle je l'avais laissé; j'ai rouvert cette porte avec une folle espérance; s'il était revenu! J'ai appelé. J'ai tâtonné dans les télèbres. Je suis rentrée pour lui écrire. Je ne peux accepter mon deuil.

Que s'est-il donc passé? Que lui ai-je dit? Qu'ai-je fait? Quel besoin devant lui d'exagérer toujours ma vertu? De quel prix peut être une vertu que mon cœur tout entier renie? Je mentais en secret aux paroles que Dieu proposait à mes lèvres... De tout ce qui gonflait mon cœur, rien n'est sorti. Jérôme! Jérôme, mon ami douloureux près de qui mon cœur se déchire, et loin de qui je meurs, de tout ce que je te disais tantôt, n'écoute rien que ce qui te racontait mon amour.

Déchiré ma lettre; puis récrit... Voici l'aube; grise, mouillée de pleurs, aussi triste que ma pensée... J'entends les premiers bruits de la ferme et tout ce qui dormait reprend vie... « A présent levez-vous. Voici l'heure... »
Ma lettre ne partira pas.

                                        5 octobre.

Dieu jaloux, qui m'avez dépossédée, emparez-vous donc de mon cœur. Toute chaleur désormais l'abandonne et rien ne l'intéressera plus. Aidez-moi donc à triompher de ce triste restant de moi-même. Cette maison, ce jardin encouragent intolérablement mon amour. Je veux fuir en un lieu où je ne verrai plus que Vous.

Vous m'aiderez à disposer pour vos pauvres de ce que je possédais de fortune; laissez-moi disposer en faveur de Robert, de Fongueusemare que je ne puis vendre aisément. J'ai bien écrit un testament, mais

j'ignore la plupart des formalités nécessaires, et hier je
n'ai pu causer suffisamment avec le notaire, craignant
qu'il ne soupçonnât la décision que j'ai prise et n'aver-
tît Juliette ou Robert... Je compléterai cela à Paris.

10 octobre.

Suis arrivée ici si fatiguée que j'ai dû rester couchée
les deux premiers jours. Le médecin qu'on a fait venir
contre mon gré parle d'une opération qu'il juge nécessaire. A quoi bon protester? mais je lui ai fait aisément
croire que cette opération m'effrayait et que je préfé-
rais attendre d'avoir « repris quelques forces ».

J'ai pu cacher mon nom, mon adresse. J'ai déposé au
bureau de la maison suffisamment d'argent pour qu'on
ne fît point difficulté de me recevoir et de me garder
autant de temps que Dieu va le juger encore nécessaire.

Cette chambre me plaît. La parfaite propreté suffit
à l'ornement des murs. J'étais tout étonnée de me sentir presque joyeuse. C'est que je n'espère plus rien de
la vie. C'est qu'il faut à présent que je me contente
de Dieu, et que son amour n'est exquis que s'il occupe
en nous toute la place...

Je n'ai pris avec moi d'autre livre que la Bible; mais
aujourd'hui, plus haut que les paroles que j'y lis,
résonne en moi ce sanglot éperdu de Pascal :

« Tout ce qui n'est pas Dieu ne peut pas remplir
mon attente. »

O trop humaine joie que mon cœur imprudent souhaitait... Est-ce pour obtenir ce cri, Seigneur! que vous
m'avez désespérée?

12 octobre.

Que votre règne vienne! Qu'il vienne en moi; de
sorte que vous seul régniez sur moi; et régniez sur moi

tout entière. Je ne veux plus vous marchander mon cœur.

Fatiguée comme si j'étais très vieille, mon âme garde une étrange puérilité. Je suis encore la petite fille que j'étais, qui ne pouvait pas s'endormir que tout ne fût en ordre dans sa chambre, et bien pliés au chevet du lit les vêtements quittés...

C'est ainsi que je voudrais me préparer à mourir.

13 octobre.

Relu mon journal avant de le détruire. « Il est indigne des grands cœurs de répandre le trouble qu'ils ressentent. » Elle est de Clotilde de Vaux, je crois, cette belle parole.

A l'instant de jeter au feu ce journal, une sorte d'avertissement m'a retenue; il m'a paru qu'il ne m'appartenait déjà plus à moi-même; que je n'avais pas le droit de l'enlever à Jérôme; que je ne l'avais jamais écrit que pour lui. Mes inquiétudes, mes doutes me paraissent si dérisoires aujourd'hui que je ne puis plus y attacher d'importance ni croire que Jérôme puisse en être troublé. Mon Dieu, laissez qu'il y surprenne parfois l'accent malhabile d'un cœur désireux jusqu'à la folie de le pousser jusqu'à ce sommet de vertu que je désespérais d'atteindre.

« Mon Dieu, conduisez-moi sur ce rocher que je ne puis atteindre. »

15 octobre.

« Joie, joie, joie, pleurs de joie... »

Au-dessus de la joie humaine et par-delà toute douleur, oui, je pressens cette joie radieuse. Ce rocher où je ne puis atteindre, je sais bien qu'il a nom : bonheur...

Je comprends que toute ma vie est vaine sinon pour
aboutir au bonheur... Ah! pourtant vous le promettiez,
Seigneur, à l'âme renonçante et pure. « Heureux *dès à
présent*, disait votre sainte parole, heureux dès à présent ceux qui meurent dans le Seigneur. » Dois-je
attendre jusqu'à la mort? C'est ici que ma foi chan-
celle. Seigneur! Je crie à vous de toutes mes forces. Je
suis dans la nuit; j'attends l'aube. Je crie à Vous jusqu'à mourir. Venez désaltérer mon cœur. De ce bonheur j'ai soif aussitôt... Ou dois-je me persuader de
l'avoir? Et comme l'impatient oiseau qui crie par-
devant l'aurore, appelant plus qu'annonçant le jour,
dois-je n'attendre pas le pâlissement de la nuit pour
chanter?

16 octobre.

Jérôme, je voudrais t'enseigner la joie parfaite.

Ce matin une crise de vomissements m'a brisée. Je
me suis sentie, sitôt après, si faible qu'un instant j'ai
pu espérer de mourir. Mais non; il s'est d'abord fait
dans tout mon être un grand calme; puis une angoisse
s'est emparée de moi, un frisson de la chair et de l'âme;
c'était comme l'*éclaircissement* brusque et désenchanté
de ma vie. Il me semblait que je voyais pour la première fois les murs atrocement nus de ma chambre.
J'ai pris peur. A présent encore j'écris pour me rassurer,
me calmer. O Seigneur! puissé-je atteindre jusqu'au
bout sans blasphème.

J'ai pu me lever encore. Je me suis mise à genoux
comme un enfant...

Je voudrais mourir à présent, vite, avant d'avoir
compris de nouveau que je suis seule.

J'AI REVU Juliette l'an passé. Plus de dix ans s'étaient écoulés depuis sa dernière lettre, celle qui m'annonçait la mort d'Alissa. Un voyage en Provence me fut une occasion de m'arrêter à Nîmes. Avenue de Feuchères, au centre bruyant de la ville, les Teissières habitent une maison d'assez belle apparence. Bien que j'eusse écrit pour annoncer ma venue, j'étais passablement ému en franchissant le seuil.

Une bonne me fit monter dans le salon où, quelques instants après, Juliette vint me rejoindre. Je crus voir la tante Plantier : même démarche, même carrure, même cordialité essoufflée. Elle me pressa tout aussitôt de questions dont elle n'attendait pas les réponses, sur ma carrière, mon installation à Paris, mes occupations, mes relations; qu'est-ce que je venais faire dans le Midi? Pourquoi n'irais-je pas jusqu'à Aigues-Vives où Edouard serait si heureux de me voir?... Puis elle me donnait des nouvelles de tous, parlait de son mari, de ses enfants, de son frère, de la dernière récolte, de

la mévente... J'apprenais que Robert avait
vendu Fongueusemare, pour venir habiter
Aigues-Vives; qu'il était maintenant l'associé
d'Edouard, ce qui permettait à celui-ci de voyager et de s'occuper plus spécialement de la partie commerciale de l'affaire, tandis que Robert
restait sur les terres, améliorant et étendant les
plants.

Cependant je cherchais des yeux, inquiètement, ce qui pouvait rappeler le passé. Je reconnaissais bien, parmi le mobilier neuf du salon,
quelques meubles de Fongueusemare; mais ce
passé qui frémissait en moi, il semblait que
Juliette à présent l'ignorât ou prît à tâche de
nous en distraire.

Deux garçons de douze et treize ans jouaient
dans l'escalier; elle les appela pour me les présenter. Lise, l'aînée de ses enfants, avait accompagné son père à Aigues-Vives. Un autre garçon
de dix ans allait rentrer de promenade; c'est
celui dont Juliete m'avait annoncé la naissance
prochaine en m'annonçant aussi notre deuil.
Cette dernière grossesse ne s'était pas terminée
sans peine; Juliette en était restée longtemps
éprouvée; puis, l'an passé, comme se ravisant,
elle avait donné le jour à une petite fille qu'il
semblait, à l'entendre parler, qu'elle préférât à
ses autres enfants.

« Ma chambre, où elle dort, est à côté,
dit-elle; viens la voir. » Et comme je la suivais : « Jérôme je n'ai pas osé te l'écrire...

consentirais-tu à être parrain de cette petite?

— Mais j'accepte volontiers, si cela doit t'être agréable, dis-je, un peu surpris, en me penchant vers le berceau. Quel est le nom de ma filleule?

— Alissa... répondit Juliette à voix basse. Elle lui ressemble un peu, ne trouves-tu pas? »

Je serrai la main de Juliette sans répondre. La petite Alissa, que sa mère soulevait, ouvrit les yeux; je la pris dans mes bras.

« Quel bon père de famille tu ferais! dit Juliette en essayant de rire. Qu'attends-tu pour te marier?

— D'avoir oublié bien des choses; — et je la regardai rougir.

— Que tu espères oublier bientôt?

— Que je n'espère pas oublier jamais.

— Viens par ici, dit-elle brusquement, en me précédant dans une pièce plus petite et déjà sombre, dont une porte ouvrait sur sa chambre et l'autre sur le salon. C'est là que je me réfugie quand j'ai un instant; c'est la pièce la plus tranquille de la maison; je m'y sens presque à l'abri de la vie. »

La fenêtre de ce petit salon n'ouvrait pas, comme celle des autres pièces, sur les bruits de la ville, mais sur une sorte de préau planté d'arbres.

« Asseyons-nous, dit-elle en se laissant tomber dans un fauteuil. — Si je te comprends bien, c'est au souvenir d'Alissa que tu prétends rester fidèle. »

Je fus un instant sans répondre.

« Peut-être plutôt à l'idée qu'elle se faisait de moi... Non, ne m'en fais pas un mérite. Je crois que je ne puis faire autrement. Si j'épousais une autre femme, je ne pourrais faire que semblant de l'aimer.

— Ah! » fit-elle, comme indifférente, puis détournant de moi son visage qu'elle penchait à terre comme pour chercher je ne sais quoi de perdu : « Alors tu crois qu'on peut garder si longtemps dans son cœur un amour sans espoir?

— Oui, Juliette.

— Et que la vie peut souffler dessus chaque jour sans l'éteindre?... »

Le soir montait comme une marée grise, atteignant, noyant chaque objet qui, dans cette ombre, semblait revivre et raconter à mi-voix son passé. Je revoyais la chambre d'Alissa, dont Juliette avait réuni là tous les meubles. A présent elle ramenait vers moi son visage, dont je ne distinguais plus les traits, de sorte que je ne savais pas si ses yeux n'étaient pas fermés. Elle me paraissait très belle. Et tous deux nous restions à présent sans rien dire.

« Allons! fit-elle enfin; il faut se réveiller... »

Je la vis se lever, faire un pas en avant, retomber comme sans force sur une chaise voisine; elle passa ses mains sur son visage et il me parut qu'elle pleurait...

Une servante entra, qui apportait la lampe.

NOTE DE L'EDITEUR

La Porte Etroite a paru d'abord, en 1909, dans les premiers numéros de *La Nouvelle Revue Française.*

M. Jean Schlumberger a heureusement conservé un placard de la revue, témoin d'une importante correction d'André Gide : il s'agit d'une longue page que le romancier avait d'abord placée en tête du chapitre VIII (p. 139 de la présente édition), et qu'il décida au dernier moment de supprimer.

Ce passage inédit a été publié pour la première fois par M. Pierre Mazars, dans le numéro du 21 février 1959 du *Figaro Littéraire,* à l'occasion du cinquantenaire de *La Nouvelle Revue Française.*

Le Mercure de France remercie M. Jean Schlumberger de l'avoir autorisé à le reproduire ici comme document.

MON histoire est près de sa fin. Car du récit de ma propre vie, qu'ai-je à faire? Pourquoi raconterais-je ici l'effort que, sous un nouveau ciel, je tentai pour me reprendre enfin au bonheur... Parfois, tant je m'évertuais, oubliant brusquement mon but, il me semblait encore que je ne m'efforçais que vers elle, tant j'imaginais mal un acte de vertu qui ne me rapprochât pas d'Alissa. Hélas! N'avais-je pas fait d'elle la forme même de ma vertu? C'était contre ma vertu même que, pour m'écarter d'elle, il fallait enfin me tourner. Et je me plongeais alors dans la plus absurde débauche, m'abandonnais jusqu'à l'illusion de supprimer en moi tout vouloir. Mais c'est vers le versant du souvenir qu'abandonnée retombait toujours ma pensée; et je restais alors des heures, des journées, ne m'en pouvant plus ressaisir.

Puis un affreux sursaut de nouveau m'arrachait à ma léthargie. Je reprenais élan. J'appliquais mon esprit à ruiner en moi ce qui naguère

avait été l'édifice de mon bonheur, à dévaster
mon amour et ma foi. Je peinais.

Dans ce chaos, que pouvait valoir mon travail! Comme auparavant mon amour, le désespoir à présent semblait être l'unique lieu de
mes pensées et je n'en reconnaissais aucune que
ne me la présentât mon ennui. Aujourd'hui
que je hais ce travail et sens que ma valeur s'est
perdue, je doute si c'est par l'amour... non! mais
pour avoir douté de l'amour.

BRODARD ET TAUPIN — IMPRIMEUR RELIEUR
Paris-Coulommiers. — France.
05.209-I-7-2018 - Dép. lég. n° 1425, 3ᵉ trim. 60 - LE LIVRE DE POCHE

LE LIVRE DE POCHE

VOLUMES PARUS

OSCAR WILDE
569 Le Portrait de Dorian Gray.

KATHLEEN WINSOR
4 Ambre.

VIRGINIA WOOLF
176 Mrs. Dalloway.

RICHARD WRIGHT
130-131 Un Enfant du Pays.
264 Les Enfants de l'Oncle Tom *suivi de* Là-bas près de la Rivière.

MARGUERITE YOURCENAR
221-222 Mémoires d'Hadrien.

ÉMILE ZOLA
7 La Bête humaine.
34 Thérèse Raquin.
50-51 Nana.
69-70 La Faute de l'Abbé Mouret.
87 Le Rêve.
97-98 L'Assommoir
145-146 Germinal.
178-179 La Terre.
228-229 Au Bonheur des Dames.
247-248 Pot-Bouille.
277-278 Le Ventre de Paris.
316-317 La Débâcle.
349-350 La Curée.
384-385 La Conquête de Plassans.
429-430 L'Œuvre.
531-532 La Fortune des Rougon.

VOLUMES PARUS ET A PARAITRE DANS LE 2e SEMESTRE

HENRI BARBUSSE
L'Enfer (*).
HERVÉ BAZIN
Qui j'ose aimer.
PIERRE BENOIT
Le Déjeuner de Souceyrac.
GEORGES BERNANOS
Monsieur Ouine.
FRANCIS CARCO
Les Innocents.
CARLO COCCIOLI
Le Ciel et la Terre (*).
COLETTE
Mitsou.
MAURICE DRUON
La Chute des Corps (*).
GEORGES FEYDEAU
Occupe-toi d'Amélie *suivi de* La Dame de chez Maxim. (*)
ANDRÉ GIDE
Isabelle.
JEAN GIONO
Colline.
JEAN HOUGRON
Tu récolteras la Tempête (*).
Soleil au ventre (*).

Volume double : (*)

ALDOUS HUXLEY
Jouvence (*).
SOMERSET MAUGHAM
Servitude humaine (**).
GUY DE MAUPASSANT
Mademoiselle Fifi.
Bel Ami.
FRANÇOIS MAURIAC
Les Anges noirs.
JOSEPH PEYRÉ
L'Escadron blanc.
M. DE SAINT PIERRE
Les Murmures de Satan.
ARMAND SALACROU
Histoire de rire *suivi de* La terre est ronde (*).
HENRI TROYAT
Faux-jour.
T'SERSTEVENS
L'or du Cristobal.
ROGER VAILLAND
La Loi (*).
Drôle de Jeu.
ÉMILE ZOLA
L'argent (*).
STEFAN ZWEIG
La Confusion des Sentiments.

Volume triple : (**)

LE LIVRE DE POCHE
CLASSIQUE

Cette nouvelle série n'est pas conçue dans un esprit scolaire. Elle entend présenter les grandes œuvres consacrées par le temps dans tous les pays et remettre en lumière certains écrivains qui, faute d'une diffusion suffisante, n'ont pas conquis la notoriété qu'ils méritaient.

Selon la règle du LIVRE DE POCHE, tous les textes seront publiés intégralement dans l'édition la plus correcte et, s'il s'agit d'auteurs étrangers, dans la traduction la plus fidèle.

Pour chaque volume, un des plus grands écrivains français de ce temps a accepté de rédiger une préface, qui situera l'œuvre et l'auteur.

Tous les esprits soucieux de culture trouveront dans cette série ample matière à réminiscences ou à découvertes.

VOLUMES PARUS

VOLUMES PARUS ET A PARAITRE
DANS LE 2e SEMESTRE 1960

 # LE LIVRE DE POCHE
POLICIER

La série des " CHEFS-D'ŒUVRE DU ROMAN POLICIER " n'est pas une nouvelle collection policière.

En la matière, d'innombrables textes ont été publiés en France et à l'Étranger. *Le Livre de Poche* se propose de choisir les œuvres les plus accomplies, et d'en procurer au besoin des traductions revisées. Grâce à cette sélection et aux soins dont seront entourés les textes, le lecteur trouvera dans *Le Livre de Poche* le conseiller fidèle qui l'a déjà guidé avec succès dans d'autres domaines.

VOLUMES PARUS

A PARAITRE DANS LE 2e SEMESTRE 1960

LE LIVRE DE POCHE
ENCYCLOPÉDIQUE

Cette série a pour objet d'éclairer et d'instruire ses lecteurs sur leur comportement devant les multiples exigences de la vie moderne.

Qu'il s'agisse de connaissances pratiques indispensables, ou de conseils psychologiques, les volumes qui la constituent apportent la solution simple et efficace aux problèmes, petits ou grands, qui se posent quotidiennement.

A la commodité du format, au peu d'encombrement de l'ouvrage, à son aspect plaisant, correspondent la clarté de l'exposition, la simplicité et la précision du texte, le souci constant de ne rien omettre d'essentiel.

VOLUMES PARUS

LA PÊCHE ET LES POISSONS DE RIVIÈRE (*)
par Michel DUBORGEL

LA CUISINE POUR TOUS (*)
par Ginette MATHIOT

LAROUSSE DE POCHE (*)

HISTOIRE DE LA MUSIQUE (*)
par Emile VUILLERMOZ

BEAUTÉ-SERVICE (*)
par Josette LYON

LES MAINS PARLENT
par le Professeur Josef RANALD

COMMENT SE FAIRE DES AMIS
par Dale CARNEGIE

COMMENT CONNAITRE VOTRE ENFANT (*)
par Rose VINCENT
et Roger MUCCHIELLI

L'HOMME, CET INCONNU (*)
par Alexis CARREL

LA CHASSE ET LE GIBIER DE NOS RÉGIONS (*)
par Jérôme NADAUD

VOTRE CHIEN
par J. R. KINNEY
et A. HONEYCUTT

LA VIE DE VAN GOGH (*)
LA VIE DE CÉZANNE(*)
LA VIE DE TOULOUSE-LAUTREC(*)
par Henri PERRUCHOT

VOLUMES PARUS ET A PARAITRE
DANS LE 2e SEMESTRE 1960

J.-M. DUVERNAY et A. PERRICHON
Fleurs, fruits, légumes (*)

ANDRÉ MAUROIS
Les Trois Dumas (*)

PIERRE ROUSSEAU
L'Astronomie pour tous (*)

GABRIEL POMERAND
Le petit Philosophe de Poche (*)